Amour interdit
Tome I
Raison et sentiment

Lyse Blue

Amour interdit

Tome I

Raison et sentiment

Roman

LE LYS BLEU
ÉDITIONS

Je t'aime éperdument, et je te le dis, et je te le répète, et mes paroles te l'expriment, et mes baisers te le prouvent, et quand j'ai fini… je recommence. Je voudrais recommencer ainsi pendant l'éternité, et chaque soir, je regrette la nuit qui va s'écouler sans toi, et chaque matin, j'en veux au soleil de briller, comme aujourd'hui, quand tu n'es pas dans mes bras.

Victor Hugo

Chapitre 1

Aujourd'hui, nous allons accueillir une nouvelle nourrice pour Jenny, espérons cette fois que ce sera la bonne. Jayden commence vraiment à en avoir marre de recruter, il faut dire que Jenny a son caractère et cela est entièrement de notre faute, à mes deux frères et moi-même. Nous lui cédons vraiment tout, mais nous faisons de notre mieux en l'absence de notre paternel. Ah oui, je ne me suis même pas présenté, je m'appelle Maximilian Mills, chevelure blanche, des yeux ambrés, grand et mince. Un corps sculpté, je suis arrogant et imbu de moi-même, afin de cacher mes sentiments et me protéger. Nous sommes une famille riche et puissante de Mystic Angel. Et surtout, nous sommes des vampires, avec un code d'honneur : on ne touche pas aux humains. Jayden y tient beaucoup, donc nous chassons des animaux ou nous graissons la patte à une banque de sang pour abreuver notre soif. Cela va faire un peu plus d'un demi-siècle que je suis devenu un vampire et malgré cela je n'arrive pas à retrouver une femme avec qui j'ai autant accroché que ma petite amie de la fac avant d'être transformé. Je me souviens de ses longs cheveux châtains ondulants qui sentaient la rose, ses yeux verts remplis de malice et ses lèvres charnues, qu'elle adorait mordre. Je n'ai jamais pu l'oublier, mais j'ai dû me résigner, jamais je ne la reverrai.

Nostalgique, je descends vers le hall où Jayden, mon frère aîné, m'attend avec mon deuxième frère Andy.

— Bien, elle ne va pas tarder à arriver. Maximilian, tu ne l'approches pas, j'aimerais qu'elle reste plus d'une semaine cette fois.

— Je n'y suis pour rien si elles tombent toutes sous mon charme !

Oui, Jayden est très paternaliste avec nous. En l'absence de notre créateur, il a la lourde charge de nous. Il me lance un regard noir. Oui, ça, c'est tout moi ! Arrogant, sûr de moi et toujours un brin de défi dans la voix. Voilà ce qui me caractérise, et aussi mon impulsivité qui agace prodigieusement mon frère aîné.

— Elle s'appelle Aziliz, elle étudiera dans la même fac que vous. Maximilian, on est d'accord ?

Je hoche la tête comme réponse. Jenny descend les escaliers gaiement. Sa chevelure rouge sang et son regard de petite chipie.

— Salut, petite sœur.

Elle fonce dans mes bras, je dépose un baiser dans sa chevelure, ce qui la fait rire. Jenny adore que l'on s'occupe d'elle.

— Viens, Jenny, je vais te donner ton repas.

Elle prend la main de mon frère et le suit en trottinant, Andy lui remonte dans sa chambre et quelques secondes après une mélodie mélancolique résonne dans le manoir. Alors que j'allais moi-même remonter dans ma chambre, on frappe à la porte. De loin, je peux entendre la voix de Jayden.

— C'est sûrement Aziliz, sois accueillant !

Je soupire, accueillant, il en a de bonnes lui aussi. Elle va être comme toutes ces filles qui défilent ici. Je me lasse facilement, elles sont marrantes au premier abord, mais deviennent très vite ennuyeuses à la longue. J'ouvre donc la porte d'entrée, prêt à être encore déçu de la voir baver devant moi. Je tombe nez à nez avec une jeune femme qui soulève un tas de souvenirs profondément enfouis, enfin c'est ce que je croyais. Elle a les cheveux bleu nuit et qui ondulent, lui arrivant aux fesses, et dégage une agréable odeur de rose, des yeux bleu saphir et des lèvres charnues. Non, ce n'est pas possible, Aziliz ressemble pratiquement trait pour trait à ma chère Juliet. Elle devrait avoir maintenant presque 93 ans et pourtant j'ai une jeune femme de 18 ans face à moi.

— Bonsoir, je m'appelle Aziliz Tremblay, j'ai rendez-vous avec Mr Mills.

Sa voix est mélodieuse tout comme l'était celle de Juliet, les souvenirs que j'avais enfouis au fond de moi remontent brutalement.

— Entre, notre père n'est pas là, mais Jayden ne va pas tarder.

Je peux sentir l'essence de rose envahir mes narines et les souvenirs remontent à la surface avec une violence sans nom. Si j'avais encore un cœur qui battait, il se serrerait dans ma poitrine. Ça va être l'enfer de la côtoyer tous les jours, je me sens tellement vulnérable subitement. Il faut que je m'éloigne de cette femme et vite, ou je ne serai bientôt plus capable d'être maître de moi.

— Que vient faire une petite chose par ici ? demandé-je en arquant un sourcil provocateur.

Ses yeux se plongent dans les miens, un sourire se dessine sur ses lèvres gourmandes et qui ne demandent qu'à être embrassées.

— Besoin de changement ! me répond-elle avec arrogance.

Mes yeux ne peuvent se détacher d'elle, cela fait tellement longtemps que je n'avais pas ressenti cela pour une humaine. Elle est joueuse, pleine de défi. Je le sens dans son attitude et sa façon de parler.

Mais suis-je vraiment prêt à l'accueillir dans ma vie de vampire ?

Heureusement pour moi, Jayden revient avec Jenny et prend le relais avec Aziliz. Je me dépêche de monter dans ma chambre. Je suis tout retourné de cette entrevue avec la nouvelle nounou et c'est bien la première fois que cela m'arrive depuis ma transformation, mais elle réveille en moi de vieux démons. Une fois la porte fermée, je pousse un profond soupir. Je m'allonge sur mon lit avec de la musique afin de penser à autre chose que cette jeune femme qui vient de faire remonter de trop vieux souvenirs de ma vie humaine et que j'ai mis si longtemps à dissimuler en moi. Je suis plongé dans mes songes, me rappelant ma vie d'autrefois. J'en ai voulu longtemps à mon père de m'avoir privé de cette femme puis avec les années je me suis forgé une carapace et Aziliz vient de la faire exploser en mille morceaux.

Je vais être dur et arrogant avec elle, comme ça elle restera loin de moi et je pourrai reprendre ma vie en main.

Alors que je suis en train de réfléchir à ma stratégie, je sens une main se poser sur mon épaule. Cette odeur de roses qui s'infiltre dans tout mon corps, je me redresse et enlève mes écouteurs.

— Pardon, j'ai frappé, mais tu ne répondais pas, alors je me suis permis…

— Que veux-tu, petite chose ?

Elle sourit. Comment ça, sourit-elle ? Sait-elle avec qui elle joue au moins ?

— Juste te prévenir que l'on va passer à table.

Ses yeux sont remplis de défi, je suis littéralement attiré par elle, comme si un lien invisible nous unissait.

Elle commence à se lever, soudain je ne contrôle plus rien, je l'attrape et la fais basculer sur mon lit. Je sens son souffle chaud sur mon visage, son cœur battre à toute vitesse. Son sang pulse dans ses veines, faisant gonfler sa jugulaire. Je ne peux réprimer mon envie de goûter son sang, doucement je plante mes crocs dans son cou. J'aspire délicatement ce nectar, il est sucré et fruité. Le goût est juste exquis, elle me regarde sans nulle peur dans le regard. Pourtant, elle devrait être morte d'angoisse, mais c'est tout l'inverse. Elle est calme et m'observe la mordre. Soudain, je suis projeté contre le mur de derrière. Jayden se tient entre Aziliz et moi. Il est furieux. J'ai rompu le pacte que l'on a passé.

— Je t'avais pourtant prévenu, Maximilian…

Aziliz pose sa main sur l'épaule de mon frère, un sourire inscrit sur le visage. Elle est tellement calme, elle ne semble pas offusquée de ce qui vient de se passer. J'en reste sans voix, elle est si paisible. Comme si tout ça était normal pour elle. C'est quelque peu déstabilisant, je dois l'avouer.

— Ne lui en veux pas, je savais très bien où j'étais, je suis au courant pour votre secret.

Je vois Jayden se décomposer, à la suite des paroles de la jeune femme.

— Je ne vois pas…

— Pas à moi ! Vous êtes des vampires !

Elle lâche cette phrase avec un brin d'amusement dans la voix. Je suis aussi surpris que Jayden qui ne sait plus quoi répondre. Elle a un aplomb vraiment déconcertant.

— Comment ?

— Je vous observe depuis des mois, je voulais être sûre des rumeurs.

Soudain, je me rappelle une jeune femme qui venait d'arriver en ville et qui avait subitement disparu.

— Tu es la jeune femme qui avait disparu ?

— Oui, j'ai croisé la route de votre père !

— Impossible !

— Il ne m'a pas mordue, car il voulait que ce soit toi, Maximilian, qui le fasses !

— Pourquoi ?

— Une vieille prophétie !

— Tu veux dire celle de la louve vampire ?

Elle hoche la tête comme toute réponse.

— Tu es cette louve ?

— Oui et Maximilian est le seul qui pouvait me transformer sans me tuer…

— Pourquoi ?

— Car nous sommes liés l'un à l'autre et cela depuis toujours !

Je me réveille en sursaut, il n'y a personne dans ma chambre. C'était quoi ce rêve des plus étranges qui soient ? Je ressens comme un soulagement, mais il faut que je voie Jayden. Ce rêve était vraiment bizarre. C'est bien la première fois que je me questionne autant. Je descends les escaliers rapidement, quand j'arrive à la dernière marche, je percute violemment une personne. Le choc est si puissant et je la sens qui perd l'équilibre. Avant même qu'elle ne touche le sol, je rattrape Aziliz dans mes bras. Ses joues rougissent légèrement à mon contact, son corps épouse parfaitement le mien. C'est comme si nous étions faits pour être ensemble, je ressens quelque chose de spécial en elle, une aura impressionnante. Je suis sûr que c'est une louve. Comme si elle avait pu lire dans mes pensées, Aziliz sourit avant de se défaire de mon étreinte et de monter à l'étage. OK, ça, ce n'était vraiment pas normal. Je la suis du regard, une fois qu'elle disparaît, je secoue la tête et cherche Jayden.

Je le trouve enfin dans la cuisine.

— Maximilian ?

Il semble surpris de me voir. Pas envie de prendre de gant, et je tape direct dans le vif du sujet.

— Dis-moi, serais-tu au courant d'une prophétie parlant d'une louve vampire ?

Je suis cash, pas le temps de faire des détours ou des courbettes. Je vois le regard de Jayden se perdre au loin.

— Je ne suis au courant de rien, vois peut-être avec Andy, il a lu un nombre incalculable de livres et peut-être pourra-t-il te venir en aide.

Je sens que mon frère aîné me cache quelque chose, mais je ne relève pas pour le moment. Je verrai avec Andy pour cette histoire demain, je décide de sortir prendre l'air. J'ai besoin de faire le point et de mettre mon esprit au clair. Trop de choses se bousculent dans ma tête depuis l'arrivée d'Aziliz au manoir. Je suis décontenancé et je ne suis plus vraiment sûr de ce que je désire soudainement. Elle me trouble au plus haut point et je déteste carrément cela. Je cours dans la forêt, me déplaçant sans bruit et à une vitesse impressionnante.

Je revois le visage d'Aziliz, que vient-elle faire à Mystic Angel ? Je suis complètement troublé par cette femme et elle hante mes pensées qui se bousculent en moi. Cela fait soixante-quinze ans que je ne l'ai pas été, j'avais presque oublié comme c'est grisant.

Chapitre 2

Je suis resté une partie de la nuit à regarder Aziliz dormir, elle avait le sommeil agité quand je suis arrivé, mais comme si elle avait senti ma présence, son sommeil s'est petit à petit apaisé. Ma main caressant sa chevelure, sa peau est douce et chaude. Cela éveille en moi un tourbillon de sensations diverses et variées. Pourquoi, je suis tellement perdu. Depuis soixante-quinze ans, je me suis forgé une carapace derrière mon arrogance et subitement elle vient de se briser en mille morceaux. Je suis complètement vulnérable face à cette femme, mais je ne veux pas me l'avouer. Non, je le refuse catégoriquement. Je ne peux pas me montrer faible, pas après ce que j'ai dû vivre. Je dois à tout prix m'éloigner d'Aziliz, pour mon bien et le sien par la même occasion. Mais, impossible de partir, comme attiré par une force invisible, je me moule contre son corps bouillonnant qui contraste avec la froideur de ma peau. Une vive décharge s'empare alors de moi et me parcourt l'échine. Je continue mes caresses sur ses cheveux soyeux et sa peau délicate. Je sens qu'elle n'est pas indifférente aussi, ce n'est pas de la magie, elle n'est pas une vampire. Je pense que mon rêve voulait m'éclairer sur sa nature. Elle est une louve, notre ennemi juré depuis des décennies.

Quand je me réveille, je suis encore auprès d'Aziliz et elle dort paisiblement. Elle ressemble à un ange, ses cheveux étalés sur les draps du lit. J'avance mon visage à quelques centimètres du sien, son souffle chaud, caresse ma joue. J'effleure ses lèvres avec les miennes, je sens une explosion de sensations m'envahir, je me ressaisis rapidement, et quitte la chambre pour me préparer à aller à la fac. Je me dévêtis dans ma salle de bain avant de me glisser sous le jet d'eau, essayant de rassembler mes esprits. Je passe mes mains sur mon visage avant de les porter vers ma tignasse blanche en lâchant un profond soupir.

Je suis vraiment attiré comme un aimant à cette déesse. Pourtant, je sais clairement qu'elle est un danger pour moi, car elle me rend plus vulnérable. Jayden va me tuer si jamais Aziliz avait à quitter le manoir. Ma raison me dit distinctement de la fuir, mais mes sentiments naissants me poussent vers elle.

Je secoue la tête, je ne la connais même pas, c'est vraiment ridicule de penser ça. Comment puis-je être amoureux sans rien savoir d'elle ? Je prends une serviette après avoir coupé l'eau, je me sèche avant d'enfiler mon uniforme pour la fac et descendre l'escalier jusqu'à la salle à manger, où il y a déjà Jayden.

— Bonjour !

— Bonjour Maximilian. Dis-moi, tu as passé la nuit dehors ?

— Oui, j'avais besoin de prendre l'air.

Je suis en train de mentir à mon frère, je ne vais pas lui dire que je me suis introduit dans la chambre de la nouvelle nounou et que j'ai passé la nuit à ses côtés. Ça commence bien. Jayden m'observe silencieusement.

— Maximilian, tu sembles perturbé, tu veux qu'on en parle ?

— Je ne vois pas de quoi tu parles, tout va très bien. Je file, j'ai cours dans 15 minutes.

Je préfère prendre la fuite avant qu'il ne me questionne trop, j'ai déjà bien du mal à y voir clair dans ma tête alors ce n'est pas pour en parler avec lui. Mon frère ne me retient pas et je l'en remercie intérieurement, je me dirige vers ma voiture de sport pour me rendre à l'université.

Une fois arrivé sur le campus, je me sens coupable de ne pas avoir emmené Aziliz. Elle est nouvelle dans cette ville, je me rattraperai ce soir en la raccompagnant au manoir.

J'avance jusqu'à ma salle de cours avec nonchalance, je retrouve une bande d'amis où je suis le leader bien évidemment. Soudain, mon regard se pose sur la nouvelle baby Sitter de Jenny qui arrive avec Collins. Qu'est-ce que cette sorcière fait avec Aziliz ? Va-t-elle tout lui révéler sur nous ? Sur la condition d'Aziliz aussi qui ne semble pas au courant qu'elle est un être surnaturel. Aziliz croise mon regard, un petit sourire se dessine sur ses lèvres appétissantes que je rêve d'embrasser suavement.

Maximilian, reprends-toi, tu ne peux pas sortir avec une louve, mais je lui rends son sourire malgré moi. J'ai l'impression de sentir une vague de chaleur m'envahir, cela fait si longtemps que cette sensation m'a quittée.

Je m'avance alors vers elle.

— Bonjour, petite chose.

— Bonjour, Maximilian.

Je m'approche et murmure à son oreille.

— Tu es très en beauté, ce matin.

Je sens le corps d'Aziliz vibrer à ces quelques mots.

Suis-je vraiment en train de flirter avec elle ? Mais, qu'est-ce qui me prend, mes sentiments prennent le dessus sur ma raison. Ce n'est vraiment pas bon, ça ! il faut que je m'éloigne d'elle où cela risque de mal finir. C'est un amour impossible et surtout interdit. J'aime l'interdit, cela met toujours du défi. Je secoue légèrement la tête. Non, mais tu délires, mon vieux.

Le professeur de littérature arrive dans l'amphi, brisant ce moment avec Aziliz, elle reprend ses esprits puis suit Sophie dans la salle. Elles prennent place dans le fond de l'amphi, comme attiré, je me place juste à côté d'Aziliz.

Après tout, pourquoi ne pas se laisser porter par ses sentiments ? Ma raison me hurle de partir, que cela n'est absolument pas raisonnable et surtout très dangereux, mais je décide de ne pas l'écouter. J'ai envie de voir où cela peut bien nous conduire. Collins par contre elle me toise avec un regard qui veut absolument tout dire, je me contente de regarder Aziliz qui rougit. Cela la rend encore plus irrésistible. Elle sort ses affaires calmement, j'entends son cœur qui cogne fortement dans sa poitrine. Je pose délicatement une main sur sa cuisse, ce contact m'électrise instantanément et je sens la peau d'Aziliz réagir aussi vivement, vraiment comme si un lien nous unissait. Je me trouve surpris quand sa main vient trouver la mienne. Le professeur commence son cours, je laisse malgré tout mes doigts glisser sur la peau de sa cuisse avant de remonter lentement sous sa petite jupe. Je peux sentir sa chaleur s'accentuer, mais sa main vient me stopper dans mon élan. Elle me jette un petit regard en coin avant de mordiller sa lèvre. Je dois me faire violence pour ne pas la faire sortir de cette salle de classe et me retrouver seul avec elle.

La journée a été terriblement longue, et je dois encore attendre une demi-heure avant qu'Aziliz ne sorte de la fac. Je décide de m'asseoir sous un arbre, profitant encore des beaux jours. Le visage d'Aziliz hante mon esprit. Je redessine mentalement chaque trait, chaque courbe de sa personne envoûtante. Puis je me rappelle mon désir ce matin dans l'amphi de littérature. J'ai mis un temps fou pour redescendre. Soudain, alors que je me perds dans mes songes, j'aperçois Andy et lui fais signe de venir.

Il me rejoint et s'assoit avec moi.

— Salut, Andy ! Ça va ?

— Salut, Maximilian. Oui, et toi ? Jayden m'a dit que tu voulais me voir ?

— Oui, je voulais savoir si, par hasard, tu saurais si une légende ou prophétie parle d'une louve vampire.

Andy me regarde tout en réfléchissant à ma question. Comme avec Jayden, je sens quelque chose de bizarre dans l'attitude de mon frère.

— Il me semble avoir lu un livre qui parle d'une louve transformée en vampire.

— Parfait, et où puis-je le trouver ?

Andy me sourit avant de se lever et de partir de nouveau vers l'immense bâtisse. Il revient quelques minutes plus tard avec le livre en question et me le tend.

— Merci, Andy, tu veux que je te ramène à la maison ?

— Non, je dois récupérer Jenny. Et toi, que fais-tu ?

— J'attends la petite chose !

Je suis surpris, c'est toujours Jayden qui récupère notre petite sœur. Andy me fait signe avant de partir, ne cherchant pas à me questionner et je l'en remercie. Je n'ai vraiment pas envie de parler de tout cela pour le moment.

Je regarde le livre qu'Andy m'a donné, tournant quelques pages, mais la sonnerie retentit indiquant la fin des cours.

Aziliz sort en compagnie de sa nouvelle amie, ce qui me déplaît grandement. Elles discutent avant de se quitter. Alors que je me dirige vers la petite chose, elle se fait accoster par Logan, notre quarterback. Il drague tout ce qui bouge, il se presse contre Aziliz qui cherche désespérément à le repousser, mais le lourd insiste. Je suis envahi subitement par une bouffée de colère, j'ai de plus en plus de mal à me contenir. Mes yeux virent aux rouges alors que je m'avance d'un pas rapide vers eux. Je vais te faire passer l'envie de tourner autour de ma proie. Je tente de me calmer afin de ne pas tuer Logan devant la petite louve, je ne sais même pas pourquoi je ressens ça. Il n'y a rien entre elle et moi. Pourtant, voir Logan qui lui tourne autour comme une abeille avec son miel m'agace prodigieusement. Aziliz, qui commence à être très agacée par le comportement de ce dernier, pousse Logan en faisant, sans le vouloir, appel à sa puissance. Logan a été éjecté quelques mètres plus loin et la petite chose commence à paniquer. Je suppose qu'elle doit se demander d'où lui sort une telle force. Elle se met à courir, elle ne m'a pas vu. Je me précipite vers elle et attrape délicatement son bras. À son contact, un courant électrique me parcourt de nouveau. C'est tellement déroutant comme sensation. Elle se retourne prête à en découdre, elle est tellement sauvage que cela me plaît de plus en plus, mais son visage se radoucit quand elle me voit. Mes yeux sont redevenus ambrés, la détaillant avec appétit. Je retrace de mon regard ardent les courbes de son corps et je peux voir un petit air espiègle gagner ses yeux saphir. Vraiment de plus en plus attrayante, cette petite louve.

— Viens, je te ramène, petite chose !

— J'ai un prénom, tu sais !

Elle me regarde avec défi et cela m'anime aussitôt, un sourire narquois se dessine sur mon visage. Elle joue avec moi ouvertement, je n'ai pas dit mon dernier mot.

— Oui, mais je préfère petite chose, cela te va si bien ! dis-je avec arrogance.

Elle me met un petit coup de coude avant de se défaire de mon étreinte et cela me fait sourire. Nous marchons silencieusement vers ma voiture, le visage d'Aziliz est tendu. Elle doit se poser un tas de questions, pourtant le côté loup se transmet d'un parent à un enfant donc forcément l'un de ses parents possède un gène de loup et malgré cela Aziliz ne sait rien de sa nature.

J'ouvre la portière côté passager afin qu'elle s'installe puis je contourne de nouveau la voiture pour prendre place à mon tour. Quand je tourne la clé, le moteur se met à ronronner. Aziliz attache sa ceinture avant de me regarder.

— Belle voiture ! Arrogante et élégante, comme son propriétaire !

J'éclate de rire à sa remarque, puis j'accélère afin de démarrer. Le visage de la jeune femme regarde le paysage défiler, elle semble admirative. Je devrais l'emmener sur la plus haute colline, de là nous pouvons voir tout Mystic Angel et la vue est juste magnifique.

Nous arrivons bien trop vite au manoir, malgré que ce soit resté silencieux tout le long, j'aurais voulu rester avec Aziliz encore un peu.

Je secoue la tête, Maximilian, ressaisis-toi un peu ! Je ne tombe jamais amoureux et ce n'est pas maintenant que cela va commencer.

Nous sortons de la voiture et nous dirigeons vers la maison.

— Merci pour la balade !

Elle s'avance vers moi avant de déposer un baiser sur ma joue puis disparaît à toute vitesse à l'étage. Je suis tellement surpris que je reste planté au milieu du hall un petit moment avant de monter vers ma chambre afin de lire le livre que Andy m'a donné.

Chapitre 3

Ce livre est vraiment une source très intéressante, mais cela reste une légende. Je range le livre et commence à me préparer pour aller chasser avec mes frères. J'entends Jenny qui se dispute avec Aziliz et c'est assez violent. Je finis d'enfiler mon sweat blanc et me dirige vers la chambre de ma petite sœur. Je prends appui dans l'encadrement de la porte, Jenny est furieuse. Elle nous fait un caprice habituel, testant les limites d'Aziliz. Voyons comment s'en sort la petite chose avant d'intervenir. Jenny est vraiment piquante dans ses remarques, elle cherche délibérément à blesser Aziliz.

— Écoute Jenny, je ne te lirai pas d'histoire si tu n'écoutes pas ce que je te dis.

La petite chose est calme malgré les remarques acerbes de Jenny à son égard. Je m'avance vers elles, je pose ma main sur l'épaule d'Aziliz qui sursaute. Elle n'avait pas conscience que j'étais présent.

— Maximilian !

Ma petite sœur fonce dans mes bras, je l'enlace et dépose un baiser dans sa chevelure.

— Dis-moi Jenny, il me semble que Jayden a été clair avec toi ! Tu dois écouter Aziliz et faire ce qu'elle te demande !

Jenny baisse la tête, l'air boudeur. D'ordinaire, je suis plutôt de son côté et j'aime l'aider à faire craquer les nourrices, mais là, je sens qu'Aziliz est différente.

— Oui, mais elle est méchante avec moi !

Aziliz reste stupéfaite devant l'aplomb de ma sœur. Je lui souris pour la rassurer, j'étais présent et j'ai pu voir qu'elle a fait preuve de patience avec Jenny.

— Ah vraiment ? Jenny, regarde-moi !

Elle relève la tête et me regarde tristement, des larmes apparaissent dans ses yeux, elle cherche à m'amadouer, mais je fronce les sourcils puis elle finit par exécuter ce qu'Aziliz lui avait demandé de faire.

Aziliz se redresse puis commence à ranger les jouets de Jenny, avant de préparer son lit. Jenny revient en pyjama, elle se glisse dans ses draps et me sourit.

— Bonne nuit, Jenny.

Je dépose un baiser dans ses cheveux avant de faire demi-tour et de laisser Aziliz finir le coucher. Elle attrape le livre préféré de ma petite sœur et commence l'histoire. Sa voix est vraiment douce et mélodieuse, vraiment agréable à entendre.

Je rejoins Andy et Jayden dans le hall.

— Que parions-nous cette fois ? demande Jayden.

— Celui qui perd doit apprendre à Aziliz la vérité sur sa nature.

— Elle a fait appel à eux ? s'enquit-il inquiet.

— Oui et je peux te dire qu'elle est très puissante donc il faut vite la mettre sur la voie et lui apprendre à les maîtriser ou elle va vite se faire remarquer.

— Bien, le perdant s'occupe de sa formation !

Je lance un sourire à Jayden et nous partons vers la forêt afin de chasser notre dîner. C'est toujours très animé entre nous, cette complicité qui nous unit tous les trois est vraiment très forte. On doit au moins ça à notre créateur pour une fois.

Un bon mois est passé depuis notre partie de chasse tous ensemble et évidemment j'ai laissé mes frères gagner afin de m'occuper de la formation de la petite chose. Je sens qu'elle est joueuse, cela me plaît réellement et je veux voir de quoi elle est capable.

Aziliz joue avec Jenny avant de la coucher, je les observe dans l'encadrement de la porte. La petite chose sort une guitare et commence à jouer. Jenny semble fascinée quand la voix d'Aziliz accompagne la musique qu'elle joue avec sa guitare. Je dois dire que cela change de la musique mélancolique d'Andy, la voix d'Aziliz pénètre par tous mes pores et me fait vibrer. Je ferme les yeux pour laisser la musique m'envahir, je vois des images qui se forment au fur et à mesure de sa mélodie.

Soudain, la musique s'arrête, j'ouvre les yeux et vois que Jenny s'est endormie. Aziliz remonte la couette sur ma petite sœur avant de se diriger vers moi.

— Bonsoir, Maximilian !

— Bonsoir, petite chose !

Elle sourit puis ferme la porte de la chambre. Elle plante ses deux yeux saphir dans mes prunelles ambre avant de continuer sa route en me frôlant. Elle me provoque ouvertement et je laisse un sourire narquois se dessiner sur mes lèvres. Si tu veux jouer petite chose, nous allons jouer alors, mais crois-moi, je ne compte pas perdre face à toi. Elle entre dans sa chambre avec une moue joueuse et provocante. Qu'est-ce qu'elle peut bien maquiller ? Je me le demande, mais je la vois ressortir quelques longues minutes plus tard. Elle s'est changée et j'en reste pantois. Elle porte une petite jupe courte de couleur rouge avec un bustier qui remonte ses merveilleux seins. Ses cheveux retombant en une cascade de boucles bleutée et un maquillage qui fait à mort ressortir le bleu saphir de ses pupilles. Elle porte des escarpins à talons aiguilles. Je mords ma lèvre et étouffe un grognement. OK, elle me tue littéralement et je sens déjà mon sexe se dresser dans mon boxer. Elle vient de me mettre en échec, mais ce n'est pas encore mat.

— Tu comptes aller où comme ça, petite chose ?

Elle se tourne vers moi, un sourire malicieux ourle ses lèvres pulpeuses. Elle m'excite encore bien plus, en a-t-elle seulement conscience ?

— Je vais au bar, j'ai bien mérité ma soirée. Tu veux te joindre à moi ? me dit-elle avec arrogance.

Elle commence à partir vers les escaliers, mais je l'arrête, la colle contre le mur et passe mes deux bras autour de sa tête. Je viens ancrer mon regard aux siens, qu'elle soutient sans sourciller. J'aime sa façon de me tenir tête, elle n'a pas froid aux yeux et son caractère de feu me plaît. Elle n'est pas comme toutes ces filles qui succombent à mon charme vampirique. Non, Aziliz, elle joue avec le feu quitte à se brûler les ailes et j'adore ça.

— Tu ne devrais pas jouer avec moi, petite chose !

— Je n'ai pas peur de toi, Maximilian !

— Pourtant tu devrais ! Je ne suis pas un agneau !

— Pourquoi ? Car tu crois que je suis douce comme une bergère ?

Je peux entendre le cœur d'Aziliz battre de plus en plus fort, son sang qui pulse dans son système veineux, son souffle devient court et ses yeux se ferment à mon contact. Je caresse délicatement son visage de la pulpe de mes doigts froids, descends le long de son cou, traçant une ligne imaginaire et sa peau se couvre de chair de poule alors qu'elle laisse un petit gémissement lui échapper. Je la sens si réceptive sous ma main, je m'apprête à enfin goûter cette bouche insolente, qui me défie en permanence. Mais une voix résonne dans l'escalier.

— Aziliz ?

Nous sursautons en même temps, surpris. Je m'éloigne d'Aziliz alors que Jayden apparaît en haut des escaliers. Je peux voir les joues rosies d'Aziliz, son regard se porte vers mon frère, essayant de masquer son trouble.

— Jenny dort ?

— Oui, elle n'a pas demandé son reste.

— Merci, tu peux sortir comme convenu.

— Merci, je ne rentrerai pas tard.

Elle sourit à Jayden avant de filer vers le grand escalier qui mène vers le hall, mon frère s'approche de moi.

— Cela t'ennuie de veiller sur Aziliz ?

— Non, je vais veiller sur la petite chose !

— Merci.

Je me dirige vers ma chambre afin de me préparer pour sortir, j'enfile un t-shirt blanc avec une tête de mort, ma veste en cuir et mon chapeau. Je sors par la fenêtre, prêt à suivre Aziliz le plus discrètement possible. Je ne voudrais pas qu'elle s'imagine des choses.

Elle entre dans un petit pub non loin de la fac, elle y retrouve son amie Sophie. Elle prend place et commande un verre de rhum vu la couleur du liquide dans son verre. Elle rigole joyeusement avec Collins, je ne sais pas ce qu'elles se racontent, mais elles semblent vraiment bien s'amuser. Je m'assois sur la branche de l'arbre pour les regarder. Je la détaille dans cette tenue aguichante, je suis vraiment resté sur ma faim avec l'arrivée de Jayden. Je sais que c'est dangereux, je sais que je ne devrais pas céder à la tentation, mais cela devient difficile. Elle hante chacune de mes pensées, je n'arrive plus à réprimer les sentiments qui m'envahissent. Elle me fait littéralement fondre devant son joli minois et son caractère. Elle est tellement insolente que j'aimerais la faire taire.

Cela fait deux heures qu'elles discutent, enchaînant les verres, quand enfin elles décident de se quitter. Une fois dehors, Sophie enlace Aziliz puis elle part vers le centre de Mystic Angel alors que la petite chose se dirige vers le manoir. Elle est un peu titubante. Soudain, une main l'attrape, elle se retourne pour faire face à Logan et ses amis du club de foot.

— Lâche-moi, tout de suite !

— J'aime quand une femme me résiste !

— Les lourds dans ton style ne m'intéressent pas !

Logan commence à avancer son visage près de celui d'Aziliz, je sors de l'ombre et m'interpose. Elle risque d'utiliser sa puissance sans le vouloir, mais vu qu'elle est légèrement alcoolisée, j'ai peur des dégâts qu'elle pourrait engendrer. Je prends Aziliz par l'un de ses bras puis la colle à moi dans mon dos. Je sens ses petits doigts se serrer sur ma taille, elle tremble légèrement.

— Je te conseille de dégager, Logan !

— Sinon quoi, Mills ?

— Tu risquerais de le regretter !

Je sens la colère qui monte au fur et à mesure du temps, j'attends qu'il frappe le premier pour pouvoir riposter. Je n'attends que cela depuis longtemps, et là, il a touché à la seule personne qu'il ne devait pas. Aziliz est à moi, personne ne la touche sans avoir affaire à ma personne. Je serre les poings, en posture d'autodéfense, mais Logan finit par abandonner devant mon regard menaçant et s'en va comme il est venu. Petit joueur, va ! Même pas capable de se battre. En même temps, c'est préférable pour lui, car je ne suis pas certain que j'aurais pu contenir ma force. Je sens les doigts d'Aziliz qui se défont de mon t-shirt alors qu'elle refoule un sanglot.

Je me tourne vers Aziliz qui plonge ses yeux dans les miens, son visage éclairé par la lune. Elle est encore plus sublime, les rayons lunaires lui confèrent une beauté spectaculaire et je ne peux plus me voiler la face, à cet instant précis, je comprends que je suis totalement sous son charme. Ma main passe sur son visage et se pose sur sa joue pour l'envelopper avec douceur et je la caresse avec mon pouce. Un frisson la parcourt, elle ferme les yeux afin de profiter au maximum de mon contact. J'avance doucement mon visage près du sien, sa respiration s'accélère. Enfin, je vais pouvoir me délecter de ses lèvres qui m'appellent depuis notre rencontre. Je ne suis plus qu'à quelques centimètres de sa bouche charnue et si appétissante quand j'entends un bruit au loin. Décidément, je ne vais jamais pouvoir l'embrasser.

Chapitre 4

J'attrape Aziliz pour la rapprocher de moi et l'enveloppe de mes bras, sa tête contre mon torse. J'observe au loin pour distinguer quelque chose, mais je ne vois rien. Je laisse mes bras glisser le long du corps de la petite chose, je sens son souffle qui se saccade et cela me fait sourire. Elle n'est clairement pas indifférente à mon charme et sa peau réagit sous mes doigts.

— Tout va bien, petite chose !

— Qu'est-ce que c'était ?

— Sûrement un animal errant ! Allez, rentrons !

Elle me fixe un moment de ce regard si magnétique puis se tourne pour prendre la direction du manoir. Je marche quelques pas derrière elle, profitant de la vue qui s'offre à moi. Elle tient plutôt bien l'alcool, elle est stable et marche avec allure. Je mords ma lèvre inférieure, comme j'aimerais tellement la toucher et la sentir contre moi, la posséder entièrement afin de la faire mienne. Elle ne quitte plus mon esprit, elle le hante du matin au soir.

Je n'ai pas réalisé que nous venions d'arriver au manoir, c'est quand elle pousse la grande porte d'entrée et se tourne vers moi que je comprends que nous allons être de nouveau séparés.

— Merci, Maximilian, pour ton aide ! Bonne nuit !

Elle s'avance afin de déposer un baiser sur ma joue, c'est le moment ou jamais. Je n'en peux plus, je veux mettre fin à ce supplice, j'écrase lourdement mes lèvres sur les siennes et mes mains se posent sur sa taille afin de la mouler à mon corps. Ses lèvres ont un petit goût de fraise et de rhum, elle passe ses mains autour de mon cou et se crochète pour garder pied. Je passe ma langue sur ses fines lèvres afin qu'elle m'invite à entrer dans son antre, sa langue vient jouer un ballet sensuel avec la mienne et cette sensation de bien-être me fait un bien fou. Cela fait tellement longtemps que je n'ai pas ressenti ça. Notre baiser devient affamé, son souffle devenant fuyant alors que je savoure cette délivrance. Elle respire la vie, et j'ai l'impression qu'elle m'insuffle un souffle pour me faire renaître. Je m'apprête à la soulever afin de la conduire vers ma chambre pour poursuivre plus en détail ce moment. Mais, un bruit de pas nous arrête net dans ce baiser sensuel. Je lui souris puis lui fais signe de monter. Elle s'exécute, non, sans rechigner et cela me fait rire.

— Aziliz, c'est toi ?

— Non, mais elle vient de rentrer !

— Bien, merci d'avoir veillé sur elle, Maximilian.

Je fais un signe de tête à mon frère puis monte vers ma chambre. J'enlève ma veste, mon t-shirt avant de prendre mon iPod et de m'allonger sur mon lit. Je repense au baiser que je viens d'échanger avec la petite louve et je dois dire que c'était délicieux, envoûtant et plein de surprise.

Je repense à ma vie humaine quand j'étudiai à la fac avec ma petite amie. Aziliz lui ressemble presque trait pour trait sauf le caractère qui est complètement différent, la petite chose peut être explosive à tout moment alors que Juliet était calme. Cela fait plus d'un demi-siècle que je n'avais pas ressenti un bien-être auprès d'une jeune femme. Elle aime jouer avec le feu et c'est ce qui me plaît chez Aziliz. Elle n'a pas peur de se brûler les ailes, elle est insolente et provocante. Vraiment tout ce que j'adore. Je me redresse un sourire en coin et quitte ma chambre le plus discrètement possible afin de me glisser dans celle d'Aziliz.

Elle dort paisiblement, je la trouve vraiment magnifique et ma main passe dans sa longue chevelure bleutée. Je ne peux résister et je me glisse dans le lit avec elle. Le corps de la jeune femme vient épouser le mien, je peux sentir sa chaleur contre ma peau froide. C'est tellement agréable ce contraste, le feu et la glace. Cela ne fait pas vraiment bon ménage d'ordinaire, mais là, c'est plutôt le contraire. On se complète, elle me donne un peu de chaleur et je lui apporte un peu de fraîcheur.

— Que viens-tu faire ici ?

Sa voix est un murmure mélodieux qui me fait sursauter. J'étais sûr qu'elle dormait, maintenant, je suis grillé, alors autant la jouer directe.

— Je pensais que tu dormais, petite chose.

Elle se tourne vers moi, son joli sourire provocateur sur les lèvres. Je fonds littéralement, mais pas question de lui montrer, et j'arque un sourcil en prenant mon air arrogant.

— Comme tu peux le voir, pas du tout ! Je t'attendais !

Je ne m'attendais pas du tout à cette réponse, elle me bluffe et me surprend. Je me ressaisis rapidement afin qu'elle ne se rende pas compte qu'elle m'a troublé. Elle se mord la lèvre inférieure, déclenchant en moi une sensation de brûlure dans mon bas ventre. Elle me rend fou à faire cela, ce simple geste éveille tout un tas de sentiments inconnus.

— Tu ne devrais pas jouer avec moi, petite chose ! Tu vas perdre !

— Ah vraiment ? Pourtant je pense tout le contraire !

Elle passe un doigt sur mes lèvres avant de le faire glisser le long de mes pectoraux puis de mes abdominaux et arrive à la limite de mon boxer et joue avec l'élastique de celui-ci. Elle n'a clairement pas peur, elle joue avec mes nerfs et j'ai de plus en plus de mal à résister. Elle continue de mordre sa lèvre inférieure, ce qui ne fait qu'augmenter le plaisir et j'essaie de me contrôler du mieux que je le peux, mais là sans est vraiment trop. Cette assurance, cette insolence et cette façon de me provoquer ouvertement me donnent envie de la posséder. J'attrape sa nuque d'une main ferme et l'autre vient s'ancrer à sa hanche. Je ne te laisserais pas fuir, tu as voulu jouer et bien je vais te montrer. J'écrase lourdement mes lèvres sur les siennes, je passe mon corps entre ses cuisses et la domine de ma hauteur. Son souffle devient court, mais ses yeux ne quittent pas les miens. Je peux voir une flamme danser dans le bleu de ses pupilles hypnotiques. Son corps vient se frotter contre le mien, je quitte sa bouche pour descendre le long de son cou et respire son doux parfum. Je sens les pulsations de son sang dans ses veines et je remonte avant de commettre l'irréparable. Je veux d'abord qu'elle sache qui elle est et qui je suis vraiment avant de me laisser déborder. Elle sourit avant de me voler un baiser des plus torrides, mon corps appelle le sien. Je la repousse gentiment et me redresse.

— Pas maintenant Aziliz. Tu dois d'abord apprendre deux/trois choses !

Elle me regarde interrogative et se lève pour me faire face.

— Comme quoi ?

— Je ne peux pas t'en dire plus, petite chose !

Je dépose un baiser dans sa chevelure avant de quitter la chambre de la jeune femme. J'ai le cœur lourd à cet instant, je m'habille et quitte le manoir par la fenêtre en direction de la forêt. J'ai besoin d'évacuer toute cette tension, qu'elle a provoquée en moi, même si j'aurais adoré poursuivre ce moment. Elle doit savoir qu'elle est une louve, que je suis un vampire et que notre amour est interdit, car nos races se haïssent depuis la nuit des temps.

Aziliz

Maximilian vient de quitter ma chambre me laissant avec mes doutes qui tournent en rond dans ma tête. De quoi voulait-il parler en disant que je dois apprendre deux ou trois choses avant ? Je cherche de quoi il veut parler, qu'est-ce que je dois savoir ? Peut-être que Jayden voudrait bien me venir en aide. C'est bizarre, cela ne fait que quelques semaines que j'ai atterri ici, pourtant je me sens pleinement chez moi. J'aime partager des moments intellectuels et scientifiques avec Jayden. Avec Andy, nous partageons la passion de la musique et de la poésie, nous échangeons très souvent nos idées. Je n'ai jamais eu de frères ou de sœurs et clairement Jayden et Andy sont comme de grands frères, Andy est même mon confident, mon meilleur ami. Jenny est comme ma petite sœur, certes un peu capricieuse par moment. Mais j'aime partager ces moments le soir avec elle. J'ai un poids sur la poitrine, je prends appui sur le rebord de la fenêtre afin de prendre une grande bouffée d'air et regarde le ciel étoilé. Je ne tiens pas trop à faire une crise d'angoisse. Soudain, j'aperçois un loup tout près, il est dans le jardin. Je m'habille et descends pour le suivre. Je ne sais pas pourquoi, mais je sens que je dois le suivre. La lune est pleine cette nuit, le loup se dirige vers la forêt et je décide de m'aventurer à mon tour. Ce n'est clairement pas raisonnable, enfin. Je m'enfonce prudemment dans la forêt, que fait un loup si près d'une ville et seul en plus ? Il semble plus grand que la moyenne, un pelage chocolat et des iris transperçant et noisettes. Ses yeux ressemblent vraiment à ceux du professeur Connor. Alors que nous arrivons dans une clairière en plein milieu de la forêt, le loup s'assoit. Je suis légèrement surprise. Je m'arrête à quelques centimètres de lui, car il me grogne dessus.

— Que fais-tu ici ? Tout seul ?

Je plonge mon regard dans celui de ce loup géant et tends doucement ma main qu'il vient renifler avant de s'asseoir plus près de moi. J'essaie de venir le caresser, mais il grogne de nouveau. D'accord, je ne vais pas insister. Je ne voudrais pas qu'il se braque. Sa présence m'apaise de tous mes tourments.

— Je me demande de quoi voulait parler Maximilian ?

Je suis vraiment en train de parler avec un loup ? Comme s'il allait me répondre, tu deviens folle, ma pauvre petite Aziliz. Le loup me regarde, penche la tête comme s'il me comprenait. Vraiment très étrange, après tout, pourquoi ne pas lui parler, je ne risque rien. Je m'apprête à poursuivre quand soudainement, je ressens une forte fatigue, mes paupières se ferment, sans même que je ne puisse réagir.

Quand je suis descendu ce matin dans la salle à manger, Aziliz n'était pas encore là. J'aurais vraiment voulu la voir, je ne suis pas rentré de la nuit. Je suis sorti de ma rêverie par Andy qui entre à son tour.

— Tu as vu Aziliz ce matin ?

— Non, elle doit encore dormir. C'est Jayden qui emmène Jenny aujourd'hui.

— Ce n'est pas possible, nous avons cours dans une demi-heure.

Je commence à m'inquiéter, je suis un peu parti à la va-vite de sa chambre, la laissant en plein doute. Je n'ai vraiment pas assuré sur ce coup-là. Je ressens des regrets, c'est bien la première fois d'ailleurs que cela m'arrive.

— Demande à Jayden...

— Me demander quoi ?

Mon frère me sort de mes réflexions.

— Tu as vu Aziliz ?

— Non, elle n'est pas dans sa chambre ?

Je monte l'escalier à toute vitesse, j'ai comme un mauvais pressentiment. Je ne peux l'expliquer, mais je sens qu'Aziliz est en danger. J'ouvre la porte de la chambre sans même m'annoncer. La pièce est vide, son lit n'a pas bougé depuis hier soir que je suis parti et la fenêtre est grande ouverte. Je saute par celle-ci, vraiment très inquiet pour elle. Je dois la retrouver au plus vite. Ce pressentiment grandit en moi, je me laisse guider par mes sens aiguisés, mais où a-t-elle pu aller ? Faites qu'elle aille bien, je ne pourrais pas me pardonner s'il lui arrivait malheur. Pourquoi, je suis parti comme ça aussi ? C'était vraiment stupide, j'aurais dû me douter qu'elle se poserait un tas de questions. Pourquoi es-tu sorti, petite chose ? Qu'est-ce qui t'a poussé à entrer dans la forêt ? Je presse le pas, je dois la retrouver coûte que coûte.

Chapitre 5

J'espère qu'Aziliz va bien, je n'aurais pas dû partir cette nuit. Je ressens un pincement douloureux, je me sens tellement coupable. Je savais dès son arrivée que je devais m'éloigner d'elle, mais non, j'ai foncé tête baissée et voilà qu'Aziliz est sûrement en danger maintenant.

Je m'enfonce dans la forêt guidée par l'odeur de rose que dégagent les cheveux de la jeune femme. J'arrive près d'une clairière en plein milieu de la forêt, Aziliz est là, ne montrant aucune peur malgré qu'elle soit prise au piège de trois vampires. Ils sont différents de nous, ils se nourrissent que de sang frais sur des humains bien vivants. Je dois intervenir rapidement si je ne veux pas que ma petite louve termine vidée de son sang.

Je me précipite sur Aziliz, la place dans mon dos grâce à ma vitesse et mes crocs sortis prêts à tous pour la sauver. Soudain, Andy et Jayden se mettent entre Aziliz et nos invitées surprises. Je n'avais même pas remarqué qu'ils me suivaient, tellement j'étais inquiet pour ma petite chose.

— Je pense que vous vous êtes perdu, ici c'est notre territoire !

— Désolé, nous sommes seulement de passage dans le coin.

Leurs pensées font monter en moi ma colère, mes yeux virent maintenant au rouge. Ils me répugnent, je n'ai qu'une envie, c'est de les massacrer.

— Puis nous sommes tombés sur cette demoiselle !

— Elle est avec nous ! dis-je avec rage.

— Dommage, une si jolie petite louve !

Je resserre mon étreinte sur Aziliz et par ce geste, je viens d'attiser leurs convoitises, et par la même, ouvert une chasse des plus passionnantes à leurs yeux. Maintenant, ils vont traquer Aziliz, afin de la vider de son sang. Je dois intervenir, je viens de la mettre en danger sans le vouloir. Je commence à faire un pas, mais Andy m'arrête avec son bras.

— Je pense qu'il est tant que vous partiez.

Les trois vampires s'exécutent sans rien rajouter, mais je sais qu'ils n'en resteront pas là. Je regarde mes frères inquiets. Aziliz est complètement abasourdie par toutes ses révélations soudaines et inattendues.

Je lui fais signe de s'agripper à moi, elle obéit sans rien dire et nous rentrons vers le manoir en quelques enjambées.

Je dépose Aziliz qui nous regarde tour à tour, puis son regard se pose sur moi. Elle semble tellement perdue. Ses yeux d'ordinaires si expressifs semblent vides en ce moment même.

— C'est de ça que tu voulais parler, Maximilian ?

— Oui, petite louve !

Elle chancelle légèrement, je passe mon bras pour la soutenir. J'aurais vraiment aimé qu'elle l'apprenne différemment.

— Je suis une louve !

Je passe une main sur son visage pour remettre une mèche de cheveux en place. Je me sens complètement décontenancé, je ne sais pas vraiment quoi faire. C'est tellement nouveau pour moi.

— Oui une puissante louve. J'ai pu le ressentir dès le premier soir. Nous t'apprendrons à contrôler tes pouvoirs et ta puissance !

— Tu sembles plus surprise par ta nature que la nôtre... lâche subitement Jayden.

— Je commençais à avoir des doutes à cause de Jenny. Il y a quelques jours, elle était en colère après moi.

— Pourquoi ? Je pensais que c'était mieux entre vous ? demandé-je avec surprise.

— C'est le cas, on s'entend beaucoup mieux, mais elle pense que vous passez trop de temps avec moi et pas assez avec elle. C'est là que ses yeux sont devenus rouges et que j'ai vu deux petits crocs.

— Je vois, Jenny a légèrement perdu le contrôle. Aziliz, il faut que tu saches que tes pouvoirs sont héréditaires, continue mon frère aîné.

Elle est surprise par la révélation de mon frère.

— Mais…

Son regard devient vague, je passe ma main sur sa joue et elle relève la tête. C'est trop de révélations pour sa petite tête. Je peux la voir se poser un tas de questions, mais aucune réponse.

— Monte te reposer un peu. Je viendrais te voir après, petite louve.

Je dépose un baiser dans sa chevelure et elle quitte le salon. Elle peine à marcher correctement, son corps semble épuisé. Une fois que j'entends Aziliz monter l'escalier, je regarde mes frères.

— Aziliz est en danger ! dis-je sans ménagement.

— Comment ça ? demande Jayden.

— Quand j'ai lu leurs pensées, ils étaient comme obnubilés par l'envie de goûter son sang !

— Bien, tu vas partir avec elle dans notre seconde résidence. Avec Andy, nous traquerons ses vampires et ferons ce qu'il faut avant que tout cela n'arrive aux oreilles du paternel !

Nous n'aimons pas vraiment notre père, plus il est loin de nous et mieux nous nous portons donc je suis d'accord avec mon frère.

— Merci, je monte préparer notre départ. Andy, tu peux lui préparer de quoi manger ?

Andy me fait un signe de tête puis se dirige vers la cuisine, je m'apprête à mon tour à quitter le salon, mais Jayden me retient.

— Il faut qu'elle apprenne à gérer ses pouvoirs au plus vite.

— Je vais commencer à lui apprendre et ensuite quand tout cela sera terminé, tous ensemble, nous la formerons. Soyez prudents avec Andy.

Je monte à l'étage, entre dans ma chambre et attrape quelques vêtements que je mets dans un sac. Je me dirige vers la chambre d'Aziliz avec une idée en tête pour ne pas qu'elle s'inquiète de notre départ.

Mais quand j'ouvre la porte, son lit est vide. Je rentre dans la salle de bain vide, elle aussi, mais je remarque des cheveux laissés sur le sol me conduisant vers la fenêtre.

Je sors un juron, ce qui alerte mes frères qui arrivent à leur tour dans la pièce.

— Ils l'ont emmenée !

Je suis dans une colère noire cette fois, par ma faute ma petite chose court un grand danger. Je saute par la fenêtre suivant le chemin qu'Aziliz m'a laissé avec ses cheveux suivis de mes deux frères.

Cela fait une bonne demi-heure que nous suivons les cheveux d'Aziliz quand enfin nous les rattrapons. Ce n'est pas trop tôt, j'ai vraiment cru que nous n'arriverons jamais à temps.

— Je vous conseille de nous rendre la petite louve !

— Alors, viens la chercher, Mills !

Aziliz

Je monte dans ma chambre comme Maximilian me l'a demandé, il semblait bizarre depuis notre rencontre avec ses vampires. J'entre puis me dirige vers la salle de bain où je décide de faire couler un bain. J'entre de nouveau dans ma chambre et sors des vêtements du dressing. Avant de me glisser dans le bain moussant. Je profite de ce moment de détente pour repenser à ce que Jayden a dit. Des brides de mon enfance me reviennent en mémoire, mes pouvoirs m'ont été transmis par mon père. Pourquoi m'avoir caché ça ?

Je sors de la salle de bain après 10 minutes, cela m'a fait du bien, je m'habille de ma petite robe bustier rouge. J'allais pour me coiffer quand je suis violemment attrapée dans le dos et une main se plaque sur ma bouche avec force. Je me débats autant que possible avant de voir que ce sont les trois vampires de tout à l'heure.

— Tu vas nous suivre ! Et l'on va voir si tes chers vampires vont te sortir de là, vivante !

Il se met à ricaner, puis attrape les liens qui retiennent mes rideaux pour attacher mes mains dans mon dos et il me bâillonne la bouche afin que je ne puisse pas crier. Je sens mes cheveux chatouiller mes doigts, une idée me vient pour que les frères Mills puissent me retrouver rapidement.

Cela doit faire une bonne demi-heure que nous fuyons dans l'immense forêt, quand j'entends la voix de Maximilian me parvenir. Je suis posée sur le sol puis on me détache de tout lien.

— Alors, viens la chercher, Mills !

— Ne fais pas ça, Maximilian !

Mais, j'ai à peine fini ma phrase que je vois Maximilian foncer sur celui qui me maintient. Il me remet sur son épaule, avant que mon vampire n'est pu nous rejoindre. Il se remet à courir, Maximilian sur ses talons. J'essaie de me débattre, mais sa force est vraiment impressionnante.

Je ne sais pas combien de temps c'est écoulé quand soudainement, je sens mon corps partir en avant, je fais un vol plané sur plusieurs mètres avant d'atterrir en bas d'une colline et une vive douleur m'envahit.

— AZILIZ !

Je le vois arracher la tête du vampire, qui me transporté avant de venir vers moi. J'ai vraiment beaucoup de mal à rester consciente. Maximilian me prend contre lui. La douleur est horrible, elle m'assomme presque, alors que je lutte pour rester parmi eux. Mes yeux papillonnent.

— JAYDEN !

— Deux minutes, je finis celui-là !

— JAYDEN !

Je peux voir Jayden et Andy démembrer et décapiter le dernier vampire. Andy finit alors que Jayden avance vers nous. Je me sens de plus en plus mal, j'ai vraiment beaucoup de mal à rester avec eux. Cette famille que je venais de trouver et où je me sentais si bien.

— Je suis désolé, Maximilian, mais on ne peut rien faire.

— Comment ça ? Sauve-la, Jayden !

— Je ne peux pas, malheureusement. Je ne peux pas arrêter l'hémorragie. Elle a même de la chance de ne pas être morte sur le coup.

Je tourne mes yeux vers Maximilian, luttant pour les garder ouverts et j'utilise les dernières forces qu'il me reste pour poser ma main sur sa joue froide.

— Je t'aime ! dis-je dans un murmure fuyant.

Mes yeux se ferment doucement.

— Non ! Non ! Aziliz, reste avec moi !

Il dépose un baiser sur mes lèvres, je sens ma main retomber lourdement.

Cela devait être mon destin de mourir aujourd'hui. Pourtant, je voulais seulement vivre. Vivre auprès de ce vampire pour l'aimer toute ma vie.

J'ai enfin rattrapé le vampire qui détient Aziliz, alors que j'allais intervenir, je le vois perdre l'équilibre suite à une branche pourrie et le corps de ma petite louve est propulsé à toute vitesse. J'essaie de la rattraper avant la chute qui risque de lui coûter la vie, mais rien à faire, je ne suis pas assez rapide et je la vois atterrir violemment sur le sol. Je fonce vers elle, après avoir arraché la tête de ce vampire. Quand j'arrive près de ma petite louve, elle saigne abondamment. Je la prends contre moi.

— JAYDEN !

— Deux minutes, je finis celui-là ! me répondit-il.

— JAYDEN ! dis-je en hurlant.

Je vois qu'Aziliz souffre terriblement et qu'elle a beaucoup de mal à rester consciente. Soudain, mon frère arrive près de nous.

— Je suis désolé, Maximilian, mais on ne peut rien faire.

Les yeux de mon frère sont tristes.

— Comment ça ? Sauve-la, Jayden !

Je commence à hurler malgré moi. Je ne veux pas la perdre. Jayden me regarde avec un regard triste et compatissant. Cela ne m'indique rien de bon.

— Je ne peux pas, malheureusement. Je ne peux pas arrêter l'hémorragie. Elle a même de la chance de ne pas être morte sur le coup.

Aziliz me regarde, puis elle puise sûrement dans ses dernières forces pour poser sa main sur ma joue.

— Je t'aime ! me dit-elle dans un dernier souffle.

Ses yeux se ferment doucement.

— Non ! Non ! Aziliz, reste avec moi !

Je dépose un baiser sur ses lèvres alors que je sens sa main retomber lourdement. Son cœur ralentit de plus en plus. Andy nous rejoint et pose sa main sur mon épaule.

— La seule façon de lui sauver la vie est de la transformer ! me lance subitement Jayden.

Je regarde mon frère surpris par ses paroles. Je dois faire un choix. Transformer Aziliz ou la laisser mourir et la perdre à tout jamais.

Je ne suis pas prêt pour aucun de ces choix. Je dois pourtant agir vite, ou son cœur s'éteindra à tout jamais.

Chapitre 6

Je dois faire un choix lourd de conséquences, je sais que je ne veux pas perdre Aziliz. Mais, puis-je lui imposer une vie de ténèbres ?

Flash-back, il y a 75 ans

— Juliet, viens faire un tour avec moi ! dis-je suppliant.

Elle me sourit avant d'attraper la main que je lui tends. J'adore son visage rayonnant et je sais qu'elle a du mal à me résister quand je fais cela.

— Tu me ferais faire n'importe quoi ! rigole-t-elle.

Je lui vole un baiser afin de la faire taire, à cet instant, j'étais loin de me douter que ma vie basculerait en une fraction de seconde. Nous montons dans ma voiture de sport et cheveux au vent, nous quittons la ville de Chicago à vive allure. J'emmène Juliet déjeuner dans un petit restaurant donc j'ai entendu parler. J'ai vraiment envie de lui faire plaisir. Et l'après-midi, nous nous sommes baladés, main dans la main en parlant de notre future vie. Nous allons bientôt finir la fac, et nous souhaitons nous installer ensemble. Il faut donc que nous décidions où vivre. La nuit a commencé à tomber et j'ai ramené Juliet chez elle. Nous avons échangé un dernier baiser passionné puis je suis parti rejoindre des amis dans un bar, mais je ne suis jamais arrivé à destination. Sur le parking, j'ai fait la rencontre de mon nouveau père Marcus Mills et c'est ce soir-là que je suis devenu vampire malgré moi. Plus jamais je ne reverrais ma douce Juliet, ma petite sœur Emily et mes parents. J'ai vécu quelque temps seul avec cet homme. Me nourrissant de sang frais, je sentais mes pouvoirs devenir encore plus puissants. Puis je fus emmené dans une nouvelle ville Mystic Angel et j'ai rencontré ma nouvelle famille.

Suis-je prêt à infliger cela à Aziliz ? Suis-je vraiment prêt à faire basculer sa vie pour pouvoir la garder près de moi ? Tout se bouscule dans ma tête, je regarde le corps d'Aziliz qui blêmit peu à peu. Ce n'est plus qu'une question de seconde avant que son cœur ne flanche pour de bon.

— Son cœur va bientôt cesser de battre, Maximilian. Il faut que tu te décides maintenant, où il sera trop tard ! me dit Jayden avec compassion.

Je ne sais pas, c'est tellement dur de prendre la décision. J'aurais aimé avoir son avis sur la question. Clairement, si j'avais eu le choix, ce n'est sans doute pas la vie que j'aurais choisie. Je n'ai plus de temps à perdre, son cœur ralenti de plus en plus. J'espère que tu ne regretteras pas le choix que je prends pour toi, ma petite chose.

Aziliz

J'entends des voix autour de moi, suis-je morte ? Pourtant, je suis sûr que les voix que j'entends sont celles de la famille Mills. Aurais-je survécu à ma blessure ? Où suis-je dans une dimension parallèle entre la vie et la mort ?

J'ai beau vouloir ouvrir les yeux, rien n'y fait, ils restent clos. Je sens une main caresser doucement la mienne, ce contact m'électrise et j'en suis sûr, c'est celui de Maximilian.

— Je suis désolé, ma petite chose.

Pourquoi sa voix est-elle si triste ? Pourquoi s'excuse-t-il ainsi ? J'aimerais lui dire que je suis là, pouvoir le prendre contre moi, mais mon corps refuse de m'obéir. Je voudrais le rassurer, lui dire que je ne lui en veux pas. Que je comprends son choix ! Allez, secoue-toi. Je veux m'éveiller.

— Tu nous manqueras, Aziliz ! dit alors la voix douce de Jayden.

Je peux ressentir ses lèvres se poser sur mon front pour déposer un baiser. Je voudrais lui dire que je suis bien là, le remercier d'être ce

grand frère que je n'ai jamais eu. Qu'il est important dans ma vie !
Mais rien, mon corps ne réagit pas. Une musique mélancolique, jouée
au piano, résonne à présent, je sais que c'est Andy. Nul doute là-
dessus, sa mélodie me déchire le cœur. Alors, je suis morte, mais ne
suis pas encore passée dans l'au-delà. Je suis là, mais je ne peux même
pas leur dire, c'est horrible. J'aurais voulu leur dire combien je les
aime, combien ils m'ont rendue heureuse. J'aimerais les remercier
pour ces quelques mois passés avec eux. Je voudrais seulement leur
dire de ne pas me pleurer.

— *Que vais-je devenir sans toi ma meilleure amie ?*

Je sens qu'Andy dépose quelque chose dans ma chevelure. Je suis
tellement navrée, j'aimais notre complicité et nos discussions. Tu vas
me manquer aussi mon meilleur ami.

— *Je veux que tu reviennes, Aziliz.*

Les paroles de la fillette me brisent le cœur, j'avais tellement de
choses encore à lui faire découvrir.

— *J'aimerais tellement partir avec toi ! Je t'aime, ma petite chose !*

Ses lèvres se déposent sur les miennes avec une infinie douceur.
Ainsi, se termine notre histoire ? Nous n'avons même pas eu le temps
de profiter de cet amour naissant que déjà, je m'en vais rejoindre mes
parents. Que c'est triste, mais ainsi va la vie et Maximilian aura
l'éternité pour me remplacer.

Nous sommes dans la forêt du manoir, tout près du lac qui borde
notre propriété. Aziliz repose dans un cercueil de verre orné de roses
bleues. Elle est magnifique, ses cheveux ondulant de chaque côté de
son visage. Jenny a choisi une robe bleu foncé qui lui va à ravi. Je
m'avance vers elle, le cœur meurtri. Je me sens tellement vide sans sa
présence à mes côtés. Nous n'avons pas pu vivre notre amour que déjà
il se fane. J'ai pensé bien faire en ne cédant pas à la tentation, mais
aujourd'hui, je le regrette amèrement. Je prends sa main dans la
mienne.

— Je suis désolé, ma petite chose !

Jayden arrive dans ce petit sanctuaire et s'avance vers nous. Il y avait longtemps que je n'avais pas vu mon frère, la mine abattue ainsi. Aziliz laisse un vide immense en chacun de nous. Cela ne faisait que quelques mois et pourtant, elle remplissait nos vies fades depuis nos transformations.

— Tu nous manqueras, Aziliz !

Il s'avance près d'elle et dépose un baiser sur son front puis il vient vers moi afin de me prendre dans ses bras pour me réconforter. J'apprécie sa sollicitude et surtout de ne pas me sermonner comme il aurait pu le faire. J'entends, soudainement, une musique mélancolique qu'Andy a composée spécialement pour Aziliz. Une fois terminé, il s'avance vers le cercueil de ma petite louve. Le visage de mon frère est encore plus mélancolique qu'à l'ordinaire et il dépose une rose noire dans la chevelure de ma douce petite chose et murmure quelques mots destinés seulement à Aziliz. Jenny arrive à son tour et Jayden la porte à hauteur du corps inerte d'Aziliz, elle pleure à chaud de larmes.

— Je veux que tu reviennes, Aziliz !

Ses mots me brisent, pour la première fois, Jenny s'était vraiment attachée à sa nourrice. Ils quittent tous les trois le sanctuaire et me laissent seul avec Aziliz. Je pose mes genoux à terre pour prendre appui sur le cercueil.

— J'aimerais tellement partir avec toi ! Je t'aime, ma petite chose !

Je dépose mes lèvres sur les siennes, je caresse sa joue et dépose une rose rouge sur sa poitrine en signe de mon amour.

Je commence à m'éloigner, les larmes envahissent mon visage. Ce n'est pas juste, la colère me gagne avec violence. Je hais ma vie.

— Pourquoi ? Tu devrais être là, avec moi !

Je tape dans un tronc face à moi. Je suis tellement fou de rage. Je suis furieux, car je n'ai pas su la protéger. Je n'ai pas pu la sauver, non plus. J'ai agi trop tardivement, si je n'avais pas autant hésité, elle serait là. Je la serrerais dans mes bras, m'enivrerais de sa bouche insolente à souhait. Mais, au lieu de ça, je pleure sa mort. Je m'apprête à reprendre ma route afin d'éponger ma tristesse, seul dans ma chambre, quand je sens deux bras qui m'enlacent, je sursaute, légèrement stupéfait. Suis-je en train de faire un trip ?

— Je suis là, grâce à toi ! me susurre sa douce voix.

Impossible, c'est impossible ! Je dois être en plein rêve. Je me mords la lèvre à sang pour être sûr et mon croc transperce ma peau. Je réalise alors que je ne suis pas du tout en train de fabuler. Je sens ses bras qui m'enlacent fortement, car elle n'a pas conscience de sa force. Entre le gène du loup et celui du vampire, sa force est sans égale.

— Doucement, petite chose. Tu es plus forte que moi pour le moment, dis-je avec douceur.

Elle desserre son étreinte et je peux maintenant lui faire face. Elle est encore plus belle en vampire, et par ce fait, elle est devenue une louve vampire. Je pose mes mains sur ses hanches et la rapproche de moi. Si je rêve, je souhaite ne plus jamais me réveiller. Je savoure le contact de son corps contre le mien. Il n'est pas froid comme le mien. Non, il dégage encore cette chaleur agréable.

— Tu es magnifique, ma petite louve vampire !

Elle passe ses doigts autour de ma nuque et pose ses lèvres sur les miennes avec appétit. Cela fait un bien fou, je goûte ses lèvres avec avidité.

— Cela fait combien de temps ? me demande-t-elle subitement.

— Deux semaines ! dis-je en soupirant. Quand j'ai pris la décision de te transformer, ton cœur était pratiquement éteint. Nous sommes rapidement rentrés au manoir. Jayden m'a dit que cela pouvait mettre quelques jours pour que tu te réveilles, mais quand nous avons vu que quinze jours se sont écoulés. Il fallait que je me rende à l'évidence, j'avais agi trop tard et mon venin n'a pas pu te sauver.

— Alors comment se fait-il que je sois là ? Tu sais, je vous entendais, tous les jours depuis ma chute mortelle !

Je commence à comprendre, quand j'ai transformé Aziliz, son cœur étant très faible, le venin à mit beaucoup plus de temps à agir et faire d'elle, cette magnifique louve vampire. Le cœur n'ayant pas pu faire circuler rapidement le sang. Je fronce les sourcils me rappelant ce que le livre d'Andy disait.

« La louve qui sera transformée ne réagira pas tout de suite au venin du vampire. Mais une fois la transformation achevée, elle gardera ses propres pouvoirs de loup et développera celui des vampires. Elle sera vraiment d'une puissance sans égale, car elle sera devenue un hybride. »

— Bon, j'aimerais te garder pour moi seul encore, mais je dois t'emmener chasser !

Elle me regarde surprise en penchant sa tête sur le côté. J'adore quand elle fait cela et je laisse un petit sourire se dessiner sur mes lèvres.

— Oui, tu vas bientôt ressentir l'appel du sang.

— Oh ! Alors, allons-y !

Elle me lance son sourire angélique et emmêle ses doigts dans les miens. Je l'attire jusqu'à moi et l'embrasse avec fougue. Je mets fin à notre baiser puis l'entraîne vers notre coin de chasse en lui apprenant les bases de sa nouvelle condition.

Chapitre 7

Je m'apprêtais à emmener Aziliz pour sa première chasse, mais quelque chose de très puissant me pousse à rebrousser chemin vers le manoir.

— Désolée, petite louve. Mais, nous devons repasser par le manoir avant. Je t'emmènerais ensuite à la chasse.

Aziliz me sourit et nous prenons la direction de la maison.

Quand je rentre dans le hall, mes deux frères m'attendent.

— Je suis vraiment désolé, Maximilian ! me dit Jayden dévasté.

— Ne le sois pas ! dis-je, grand sourire.

Je fais un petit mouvement de tête pour qu'Aziliz puisse sortir de l'ombre.

— Aziliz ! dirent-ils heureux et surpris à la fois.

Ils l'enlacent tous les deux en même temps, elle fait vraiment partie de notre famille et cela se ressent grandement.

— Je ne pouvais pas vous laisser ! les taquine-t-elle.

Andy fait tournoyer ma petite louve.

— Tu es vraiment magnifique !

— On va se calmer, la petite chose est à moi !

— On ne sait jamais, des fois qu'Aziliz en ait marre de toi !

La voix de mon frère est moqueuse.

— Cela n'arrivera jamais, Andy. Il faudra que tu t'y fasses !

Je me mets à rire aux éclats.

Aziliz

Andy et Maximilian se chamaillent gentiment et cela me fait sourire. C'est une façon pour eux de se dire qu'ils s'adorent. Je discute tranquillement avec Jayden quand une voix nous surprend tous.

— Il faut dire qu'elle est magnifique cette petite chose !

Soudain, les trois frères se mettent devant moi en mode protection. Qu'est-ce qui se passe ? Et qui est cet homme qui vient de faire irruption ? Je peux l'apercevoir entre les garçons, c'est un homme très élégant, d'une cinquantaine d'années, grand et élancé. Il se tient face à nous, un sourire malsain. Pourquoi, je sens qu'il n'est pas là par hasard ?

— Je ne savais pas que vous deviez rentrer si tôt ?

— J'avais une affaire urgente à régler ! Approche, petite chose !

— Ne t'approche pas d'elle ! siffle Maximilian.

Les yeux de mon vampire sont devenus rouges et ses crocs sont sortis. L'inconnu se met à rire. Je le sens de plus en plus mal, mais je dois calmer Maximilian avant toute chose. Je pose ma main sur sa joue.

— Maximilian, calme-toi, dis-je avec douceur.

Je passe devant lui en souriant puis me dirige vers ce vampire aux yeux bleu azur, des cheveux bruns mi-longs, quelques mèches encadrent son visage au trait fin.

Quand j'arrive face à lui, je baisse légèrement la tête, j'ai l'impression de l'avoir déjà vu. Je fouille ma mémoire afin de savoir où et quand. Il passe un doigt sur mon menton et m'oblige à le regarder. Ses lèvres s'étirent en un sourire diabolique. Je sens une sueur froide me parcourir l'échine. Je peux ressentir son aura malfaisante.

— J'ai bien fait de te choisir !

Sa révélation me surprend. Sa voix, je suis sûr de l'avoir déjà entendue.

— Comment ça choisit ? demande subitement mon vampire.

Un flash me revient de plein fouet, quand je me suis endormie au milieu de cette clairière. À mon réveil, les vampires étaient déjà présents et ils connaissaient mon prénom.

— C'est lui qui a envoyé les trois vampires... dans la clairière, dis-je abasourdie.

— Oui, ils devaient te ramener à moi, mais mes trois fils s'en sont mêlés ! Puis cette chute mortelle et Maximilian a dû te transformer ! Tu devais devenir ma fille ! Je te suis depuis ta naissance !

Alors c'est lui, Marcus Mills ! Je recule vers les garçons, inquiète. J'en connais assez sur lui pour le craindre et s'il est de retour, c'est qu'il a de grands projets. Je me trouve prise d'assaut par mes souvenirs passés. L'accident de mes parents sort du lot. J'étais très somnolente suite au choc qui a tué mon père sur le coup. Un homme est arrivé, ma mère était encore en vie, mais il a bu son sang avant de s'approcher de moi. J'ai cru que j'allais subir le même sort, mais il a juste murmuré.

— On se retrouvera bientôt, petite chose !

C'est pour ça qu'au début je détestais que Maximilian m'appelle ainsi. Mon inconscient faisait le rapprochement avec cet homme. La colère m'envahit, mes yeux déjà rouges deviennent encore plus intenses et mes crocs poussent rapidement. Je sens deux bras qui attrapent ma taille avant que je ne me lance sur lui. Jayden et Andy essaient de me maintenir eux aussi.

— JE VAIS VOUS TUER !

— Aziliz, calme-toi ! Qu'est-ce qui se passe ?

— VOUS AVIEZ TOUT PRÉVU !

Le rire de Marcus résonne dans le manoir et plus il rit, plus je sens la rage m'envahir.

— Qu'est-ce qui se passe, Aziliz ? Sa voix est inquiète.

Je me tourne vers Maximilian qui me tient toujours contre lui. Je bouillonne de l'intérieur et j'ai envie de tout détruire.

— Mes parents sont morts, il y a 6 mois dans un accident. J'étais présente...

— Son père est mort sur le coup. Quant à sa mère, je l'ai tuée !

Maximilian est tellement abasourdi par les propos de son père qu'il relâche ma taille.

— La seule chose que je n'avais pas prévue c'est que tu étais liée à mon fils, sinon je t'aurais tuée ce jour-là.

***

J'ai relâché ma petite chose et c'est moi qui fonce sur mon père, enivré par la colère. Il arrive à m'éviter de justesse et sans que je n'aie pu comprendre, je me retrouve les mains de mon père sous la gorge prête à m'arracher la tête.

— NON, ne faites pas ça ! Arrêtez, s'il vous plaît ! supplie Aziliz.

Andy et Jayden ont repris place devant elle afin de protéger Aziliz de notre odieux père. Je le déteste tellement, et encore plus à cet instant.

— Alors, obéis-moi et tout ira bien !

— Ne fais pas ça, ma petite chose !

Je sens la force qu'exerce mon père augmenté, serait-il prêt à m'éliminer pour ça ?

Le regard de la jeune femme plonge dans le mien puis elle avance vers mon père.

— Tout ce que vous voudrez, mais relâchez-le !

Mon père enlève ses doigts de ma gorge, la pression s'arrête net et il se dirige vers ma petite louve.

— Tu as fait le bon choix, petite chose !

Sa main caresse le visage d'Aziliz, mais elle retire la main de mon père violemment. Elle harponne le regard de notre créateur.

— Je le jure, je vous tuerai !

Mon père sourit à cette remarque, mais le regard d'Aziliz flamboie de défi. Elle continue de marcher vers moi et m'aide à me relever. Je la prends contre moi, caressant sa chevelure et ma tête posée dans le creux de son cou.

— Je suis tellement désolé. Si je n'avais pas été égoïste, tu n'aurais jamais eu à vivre cela, lui dis-je à l'oreille.

Elle me sourit avant de m'embrasser.

— Je ne regrette pas un seul instant ce que tu as fait Maximilian, car je suis là près de toi.

Il y a si longtemps que je n'avais pas éprouvé un amour aussi fort, cela en est même douloureux. Aziliz fait remonter des souvenirs d'un passé que j'aurais voulu oublier à tout jamais.

Je suis tellement furieux après notre père, il m'a déjà privé de mon premier amour, mais cette fois je ne me laisserais pas faire. Tout ce que j'espère c'est que les affaires qui le ramènent à Mystic Angel ne vont pas s'éterniser.

— Où est Jenny ? demande-t-il, comme si de rien n'était.

— Dans sa chambre, mais elle ne sait pas encore pour Aziliz, elle croit encore qu'elle est morte ! répond Jayden.

— Je peux monter la voir...

— D'abord, il faut que tu chasses, ma petite louve !

Elle sourit avec douceur avant de me répondre.

— Je vais bien, Maximilian. Je peux encore attendre 5 minutes. Tu sais, Jenny est venue me voir quand vous n'étiez pas dans les bois. Elle m'a ouvert son cœur, même si elle pensait que j'étais morte à ce moment-là et qu'elle ne le reconnaîtra jamais.

Elle se détache de moi puis monte les escaliers en direction de la chambre de ma petite sœur.

— Elle va être époustouflante ! Jayden, je compte sur toi pour lui apporter l'enseignement nécessaire !

— Mais, c'est Maximilian qui...

— Non ! Tu es le plus vieux et le plus sagace des trois !

— Tu ne pourras pas nous séparer, je suis le vampire de la prophétie et tu le sais !

Mon ton montre clairement mes intentions.

— Tu n'es rien, Maximilian ! Cette fille n'est pas Juliet !

Je suis arrivé si vite que mon père n'a pas pu esquiver ma main qui se pose sur sa gorge. Mes yeux sont de nouveau rouges et mes crocs sont sortis.

— Je t'interdis de prononcer son nom ! Si je n'avais pas croisé ta route, aujourd'hui je serais à ses côtés !

— Ah, ah, ah ! Non, car j'ai fait ce que tu as refusé de faire !

De quoi parle-t-il ? Je le regarde interrogateur. Est-ce qu'il cherche à me déstabiliser ?

— Je lui ai offert l'immortalité !

— Non, c'est impossible !

— Pourtant, elle travaille à mes côtés !

La douleur est si intense, comme si l'on m'enfonçait une lame au plus profond de mon âme.

Aziliz

Quand j'arrive devant la chambre de Jenny, j'ai un petit pincement, car je peux l'entendre qui pleure. Je frappe avant d'entrer dans la pièce, la fillette est allongée sur son lit. Je m'avance vers celui-ci, m'assois près d'elle et caresse doucement ses cheveux rouges et bouclés.

— Ne pleure plus, ma petite Jenny !

Elle sursaute, surprise avant de se redresser et de me sauter au cou. Je la serre dans mes bras.

— Tu es vivante, mais comment ?

— Un miracle. Tu m'as beaucoup manqué, Jenny !

Je l'embrasse sur le front.

— Tu es vraiment très belle en vampire.

— Merci, ma petite Jenny. Je dois aller chasser avec tes frères, mais il y a une autre surprise pour toi. Je vais la chercher et dès mon retour, nous jouerons ensemble.

Je quitte la chambre de la petite fille pour rejoindre les Mills. Quand j'arrive en haut des escaliers, je surprends la conversation mouvementée qui se déroule en bas.

— Je lui ai offert l'immortalité !

— Non, c'est impossible !

— Pourtant, elle travaille à mes côtés !

Je vois la douleur de Maximilian et j'arrive même à la ressentir. Elle me poignarde la poitrine avec une telle force. Ils doivent parler du premier amour de Maximilian, Juliet ! Je cours vers mon vampire, malgré la douleur lancinante qui m'oppresse.

— Maximilian ?

Sa douleur m'envahit de plus en plus fortement. À mon contact, mon vampire se calme et reprend ses esprits. Je peux sentir que petit à petit la douleur disparaît.

— Alors qui choisiras-tu ? La petite chose ou ton premier amour ?

Marcus fait un signe et une femme apparaît devant nous, elle est magnifique. De longs cheveux argentés ondulants, des yeux violets et un corps parfait. Je sens que Maximilian est surpris de la voir face à lui.

— Ça fait longtemps, Maximilian !

Elle lui sourit.

— Juliet ?

— Oui, c'est bien moi !

Elle s'avance vers nous puis passe une main sur le visage de mon vampire. Une douleur envahit mon cœur et je commence à me défaire de Maximilian, prête à lui laisser ma place, mais il me rattrape après avoir enlevé la main que Juliet avait posée sur lui.

— Pourquoi revenir après soixante-quinze ans ? Tu vois, j'ai refait ma vie depuis 6 mois, je te présente Aziliz.

Je me sens mal à l'aise, je vois dans les yeux de Juliet l'amour qui l'habite. Je me sens comme une pièce rapportée.

— Je ne t'ai jamais oublié ! Je savais que l'on se retrouverait pour reprendre notre vie où nous l'avons laissée !

Une larme coule soudainement le long de ma joue, je comprends que jamais je ne rivaliserais avec elle. Sans que Maximilian n'ait pu réagir, je suis partie du manoir.

***

52

Quand Juliet lâche cette bombe sur moi, je vois une larme se dessiner sur le visage de ma belle louve et sans que je comprenne ce qui se passe je la vois partir.

— Aziliz !

J'allais pour la rattraper quand la main de mon premier amour me retient.

— Reste à mes côtés, Maximilian !

— Lâche-moi ! dis-je en grognant.

Je retire violemment mon bras de ses mains, et quitte à mon tour le manoir.

— Maximilian, attends-nous ! me hurlent mes frères.

Et ils me suivent à leur tour. Je déteste notre créateur, je vais le tuer un de ces jours. Pourquoi me faire vivre ça ? Faire revenir un amour que je pensais, mort à tout jamais. Je suis tellement bien avec Aziliz, mais mon passé me hante encore. Pour le moment, je dois me concentrer sur Aziliz. Il faut que je retrouve ma petite chose au plus vite, elle n'a toujours pas chassé et risque de ne pouvoir se contrôler face à l'appel du sang.

Chapitre 8

Nous courrons de branche en branche avec notre vitesse surhumaine. Nous devons rapidement la retrouver avant qu'il n'arrive l'irréparable. Je connais assez bien Aziliz, pour savoir qu'elle s'en voudrait d'avoir vidé un humain.

— Maximilian, il faut que l'on se sépare, nous couvrirons plus de terrain comme ça.

Je regarde Jayden, je sais qu'il a raison. Cela nous permettra de couvrir plus de terrain et ainsi de la retrouver plus facilement.

— OK, celui qui retrouve Aziliz le premier envoie un signal ! Je vais à l'Est.

— Nous allons la retrouver, Maximilian. Ne t'en fais pas ! Je fais au Nord et Jayden à l'Ouest.

On se disperse chacun dans une direction. Je suis pris dans mes tourments, entre mon ancien amour et le nouveau. C'est justement ce que veut Marcus et cela me rend encore plus fou de rage. J'étais en train d'oublier mon passé et me construisais un avenir. Puis il débarque, et balaie une fois de plus tout sur son passage. Je suis complètement perdu dans mes sentiments. Je continue de parcourir la forêt, je veux la retrouver avant qu'il ne soit trop tard.

Andy

Cela fait un petit moment que nous sommes à la recherche d'Aziliz, quand soudain, je la vois enfin devant moi. Ce n'est pas trop tôt, nous avons pu échapper à la catastrophe.

— Aziliz, attends-moi !

Elle se stoppe net en ayant reconnu ma voix. Elle me regarde avec tellement de tristesse que cela me fend littéralement le cœur.

— Andy, mais…

— Nous étions tous inquiets pour toi, on a préféré se séparer pour couvrir plus de terrain.

Aziliz pleure à chaudes larmes, je passe mon bras autour de ses épaules et l'enlace. J'essaie de la consoler au mieux, même si je ne suis pas le mieux placé avec ma mélancolie constante. Je veux juste qu'elle se sente entourée et soutenue.

— Calme-toi, Aziliz.

— Comment… veux… tu que je… me calme… jamais je ne serais cette femme…

Elle sanglote contre mon torse, sa mélancolie m'envahit et cela me permet de mieux la comprendre. Je frotte doucement son dos, elle et moi sommes quelque part un peu les mêmes.

— Maximilian est face à un choix des plus durs ! Mais, je sais qu'il t'aime autant que cette femme !

— Je déteste votre père !

Je lâche un petit ricanement. Nous aussi, cela tombe bien.

— Ne t'en fais pas, aucun de nous ne le porte dans son cœur. Seule Jenny, car c'est une enfant, mais quand elle grandira cela changera ! Il ne sait faire que le mal !

Le souvenir de mon ancienne vie m'envahit, j'étais le meilleur pianiste des États-Unis, mais j'ai croisé la route de cet homme et toute ma vie a changé. J'envoie le signal comme Maximilian nous l'avait demandé afin qu'ils puissent nous retrouver dans cette immense forêt.

***

Je suis toujours à la recherche de ma petite louve quand j'aperçois le signal, un de mes frères a trouvé Aziliz. Je me dirige à toute vitesse vers cet endroit. Je veux m'assurer que tout va pour le mieux. J'ai besoin de la voir, de la caresser et de l'embrasser. Elle me manque affreusement, alors que nous sommes séparés depuis deux heures à tout casser.

Quand j'arrive, Aziliz est dans les bras d'Andy, qui la berce doucement en lui caressant le dos.

Je sais que mon frère éprouve quelques sentiments pour Aziliz et de le voir tenir ma petite chose ainsi m'agace prodigieusement.

— Aziliz, j'ai eu si peur !

Je la prends dans mes bras, j'enfouis mon visage dans sa chevelure. Profitant de ce doux parfum qu'elle dégage. Jayden arrive quelques secondes plus tard.

— Ça va ? s'enquiert-il.

Aziliz relève son visage vers mon frère.

— Oui, je suis désolée, Jayden.

— Ne le sois pas, c'est plutôt à moi de m'excuser pour notre père…

— Laisse tomber, vous n'y êtes pour rien.

— Maintenant que l'on t'a retrouvé, allons chasser. Avant que tu ne fasses un carnage, ma petite chose.

Aziliz se défait de mon étreinte, puis hoche la tête. Elle me fuit, mais pourquoi ? Il faut que je lui parle quand nous serons seuls. Je ne veux pas qu'elle m'évite ainsi.

— Bien ! Apprenez-moi à devenir un bon vampire !

Elle se met à rire, ce rire que j'aime terriblement et qui met du baume au cœur. Son sourire si angélique qui fait croire que tout va pour le mieux alors que je ressens clairement le contraire.

Je m'avance vers la jeune femme, enlace ses doigts avec les miens, mais je sens comme une réticence. Pourquoi Aziliz ? À quoi penses-tu ?

Nous commençons la traque, nous lui apprenons l'art de la chasse vampirique. Elle semble bien s'amuser.

— Tu vois la biche ? dis-je au creux de son oreille.

Elle hoche la tête.

— Tu l'approches le plus possible, sans bruit, et tu lui sautes dessus pour lui planter tes jolis crocs, poursuivis-je toujours à son oreille.

— J'ai peur de ne pas y arriver, Maximilian.

Je prends son visage en coupe et pose mon front contre le sien. Mes prunelles ambrées viennent capter ses yeux.

— Tu seras exceptionnelle, comme toujours.

Je dépose mes lèvres sur les siennes. Laisse un petit soupir d'aise, puis elle se retire. Elle sourit et avec la vitesse des vampires, elle approche au plus près de l'animal.

<u>Aziliz</u>

Bien, c'est le moment de briller, de montrer de quoi je suis capable. Je suis plus qu'à un saut de la biche, je vais me nourrir pour la première fois comme une vampire. Je sens mes crocs sortir puis je bondis sur l'animal et mes crocs se plantent avec succès dans le cou de celle-ci, ne lui laissant même pas le temps de comprendre ce qu'il lui arrive. Un liquide chaud et épais coule dans ma bouche, je pensais que ce serait désagréable, mais bien au contraire, cela m'apaise de plus en plus. Je vois mon vampire qui avance vers moi avec un large sourire satisfait.

— *Tu as été vraiment parfaite, une vraie pro !*

Je relève mon visage, alors que Maximilian comble la distance qui nous sépare l'un de l'autre. Un peu de sang coule de ma bouche, je commence à porter ma main vers celle-ci pour l'essuyer, mais Maximilian passe ses lèvres sur le sang afin de le recueillir, remontant jusqu'à mes lèvres, et l'on échange un baiser des plus fougueux. Je ne peux vraiment pas lui résister, c'est tellement merveilleux. Je détache mes lèvres de mon beau vampire, je sens son esprit torturé par ce choix qui s'impose à lui.

— *Maximilian, je pense que nous devrions faire une pause. Je sens la douleur qui te torture depuis que tu as revu Juliet.*

— *Je...*

Je pose mon doigt sur ses lèvres. Je veux vraiment qu'il prenne le temps de réfléchir à tout cela avant de prendre sa décision. Malgré l'immense douleur que cela me génère dans la poitrine.

— *Je comprends, mon beau vampire, et je ne t'en veux pas.*

Une larme coule le long de ma joue que Maximilian attrape avec sa main.

— *Je suis tellement désolé, ma louve !*

***

Je me sens tellement mal de faire souffrir Aziliz comme ça, je suis un con. Je suis amoureux d'elle, j'en suis certain, mais suis-je sûr de ne plus rien ressentir pour Juliet ?

— Ça y est, tu es officiellement une vampire !

Je remercie Andy d'intervenir pour détendre l'atmosphère devenue électrique.

— Merci à ton frère pour ses prodigieux conseils.

— Tu es vraiment stupéfiante. Demain, on commencera ton entraînement. Rentrons maintenant, il se fait tard ! dit doucement Jayden.

Nous nous mettons donc en route vers le manoir, il nous faut quelques enjambées pour atterrir dans le jardin. Nous remontons celui-ci et arrivons dans le salon, Jenny joue avec notre père, mais quand elle aperçoit Aziliz, elle court vers elle.

Ma petite chose la prend dans ses bras et Jenny est toute souriante.

— Tu viens jouer avec moi ?

— Je te l'ai promis, alors qu'est-ce qu'on attend !

Jenny prend la main d'Aziliz et elles montent vers l'étage. Je les regarde partir avec un sourire bienveillant, elles s'entendent vraiment bien maintenant qu'elles se sont apprivoisé l'une, l'autre.

— Alors cette chasse ? Elle s'en est sortie comment ? demande notre créateur à mon frère aîné.

— Elle a été parfaite, on aurait dit qu'elle avait ça dans le sang !

Mon père se met à sourire. Moi, j'ai envie de le voir réduit en poussière, ma colère monte de nouveau en moi. Je sens deux mains prendre ma taille et des lèvres se posent dans mon cou.

— Qu'est-ce que tu fous, Juliet ?

— Je reprends ce qui m'appartient ! me répond-elle avec aplomb.

Je défais ses mains de ma taille, je quitte la pièce furibonde et monte dans ma chambre en claquant la porte avec violence. Je ne sais plus où j'en suis, je dois faire un choix, mais lequel ? Cela me prend sérieusement la tête, toute cette foutue histoire. Je déteste ce sentiment d'impuissance et de mal-être. Comment choisir ? Comment être sûr que je fais le bon choix ? Je me pose sur le rebord de ma fenêtre en soupirant, je passe mes mains sur mon visage, avant de les nicher dans mes cheveux blancs. Je me perds dans la contemplation du ciel étoilé et de la lune qui brille fortement ce soir. Je me perds dans mes songes, tout en me laissant hypnotiser par l'astre lunaire. J'ai souvent vu Aziliz contempler la Voie lactée étendue dans l'herbe du jardin. Je restais ici, perché dans ma chambre à la regarder faire. Je laisse un sourire ourler mes lèvres, à ce simple souvenir.

— Tu étais si magnifique… dis-je dans un murmure.

Je sens une main qui se pose délicatement sur mon bras me sortant de ma torpeur et de mes tourments. Je regarde la personne qui vient de pénétrer dans mon antre. Je tombe sur le visage angélique d'Aziliz. Ses yeux, d'un rouge flamboyant qui prouve qu'elle est bien un nouveau-né vampire. Je porte ma main vers sa joue pour venir la caresser de la pulpe de mes doigts.

— Tu es vraiment sublime, ma petite chose.

Je la vois rougir sous mes mots et cela la rend encore plus jolie. Je l'attire contre moi, installant son corps entre mes cuisses pour pouvoir la garder au plus près de moi. Je viens poser ma tête dans son cou, laissant l'odeur de rose venir me chatouiller les narines. Aziliz se laisse faire, je peux même entendre un petit soupir libérateur franchir la barrière de ses lèvres divines. Cela me rassure quelque part, la voir tout à l'heure si fuyante avec moi, m'a porté un coup et a agrandi le trou béant dans ma poitrine. Je veux seulement profiter d'elle pour le moment. Sentir son corps contre le mien, m'enivrer de son odeur agréable. Sa simple présence m'apaise, me fait un bien fou et peut-être que cela me permettra d'y voir plus clair dans tout ce flot de sentiments, qui me submergent depuis que je sais que Juliet n'est pas morte comme je le pensais.

Chapitre 9

Cela fait pratiquement quinze jours que mon père est rentré au manoir, foutant ma vie en l'air par la même occasion.

Depuis notre retour de cette partie de chasse et de la nuit qu'elle a passée avec moi. Je n'ai pas revu Aziliz. Elle a commencé ses entraînements avec mon frère aîné et d'après lui, elle se débrouille très bien. C'est fou comme elle peut me manquer, je ressens un vide au plus profond de moi. Aujourd'hui, je dois passer la journée avec Juliet, il n'y a que comme ça que je serais le choix que je dois faire. Ce matin, alors que je sors de ma chambre, j'aperçois Andy et Aziliz qui jouent ensemble du piano. La musique est si mélancolique que j'en ai mal, tout ça, c'est de ma faute. D'ordinaire, la musique de Aziliz est joyeuse et dynamique, depuis l'arrivée de Juliet cela devient de plus en plus mélancolique.

Je donne un petit coup dans un mur, je me sens terriblement fautif. Je vais le tuer moi-même pour avoir fait ça, aujourd'hui je devrais couler une vie paisible aux côtés d'Aziliz. Mais au lieu de cela, je suis complètement largué entre mon passé et mon présent. Soudain, la musique s'arrête et la porte de la chambre d'Andy s'ouvre. Elle s'avance en regardant toujours mon frère qui lui parle et me percute, je la rattrape et la serre contre moi. Son parfum vient chatouiller mes narines, j'aime tant cette odeur.

— Bonjour, Maximilian.

Son visage est tellement triste, sa voix est mélancolique et elle a même perdu du poids.

— Bonjour, Aziliz. Comment vas-tu ?

Ma main se pose sur sa joue et caresse ses cheveux ondulants. Je sais qu'elle a pris ses distances pour ne pas interférer dans mon choix et je l'apprécie grandement. Elle est tellement attentionnée et délicate.

Elle sourit puis se détache de mes bras avant de continuer sa route. Je pense que c'est au-dessus de ses forces et je le comprends parfaitement.

— Andy, je peux te demander un service ?

— Bien sûr !

— Prend bien soin d'Aziliz, elle a perdu du poids depuis quinze jours. A-t-elle chassé depuis la première fois ?

— Promis, je prendrais soin d'Aziliz. Non, Jayden dit qu'Aziliz est différente de nous en tant que vampire.

— Comment ça ?

Je ne comprends pas vraiment ce que veut dire mon frère par différente de nous ? Elle est une vampire, donc elle a besoin de chasser régulièrement et encore plus pendant la première année.

— À la différence de nous, Aziliz a gardé son côté humain !

— C'est-à-dire, je ne comprends pas vraiment Andy.

Comment ça, son côté humain ? Je suis vraiment largué là. Cela veut dire quoi au juste ?

— Aziliz a moins besoin de chasser que nous, car elle peut encore se nourrir de nourriture humaine. Retentit la voix de Jayden dans mon dos.

Je me tourne vers lui, bluffé par ses mots. C'est bien la première fois que j'entends quelque chose comme ça. Elle peut donc manger des aliments et se nourrir de sang. Cela doit être pratique.

— Impressionnant, elle a tout le meilleur du vampire et de la louve. Elle est vraiment parfaite.

— En effet ! En plus, elle apprend vite ! Elle sera plus puissante que père !

Je ne peux m'empêcher de sourire à ce que vient de dire Jayden, j'ai vraiment hâte de la voir à l'œuvre. Notre créateur n'ayant pu la transformer, il n'a aucun contrôle psychique sur Aziliz. Elle a donc une longueur d'avance. Je salue mes frères avant de continuer ma route vers les escaliers et je descends vers la salle à manger où m'attend Juliet.

Aziliz

Cela fait quinze longs jours que je n'ai pas croisé mon doux vampire, je ne veux pas m'imposer à lui afin qu'il puisse vraiment choisir avec son cœur. Andy prend soin de moi et fait tout pour me changer les idées. Musique, lecture et même sortie au musée. Nous sommes tous en vacances, rendant la tâche difficile pour ne pas croiser, Maximilian, mais je fais de mon mieux et j'ai réussi jusqu'à maintenant. J'essaie ainsi de m'éviter l'horrible douleur qui me transperce de le voir avec Juliet. Demain, je retourne enfin à la fac, mon premier jour en tant que vampire loup. Jayden m'a donné des lentilles de couleurs afin de cacher mes pupilles encore rouges. Je dois faire attention à tous mes mouvements pour qu'ils ne soient pas trop rapides. D'après Jayden le plus dur ce sont les odeurs. Je ne sais pas comment Sophie va prendre le fait que je sois devenue une vampire. Tout ce que j'espère c'est que cela ne va pas empirer leur rancœur de famille.

Pour occuper mes journées, avec Jenny, je fabrique des poupées pour compléter sa collection. Elle semble heureuse de partager ce moment avec moi.

— *Elle ressemble à Maximilian, la poupée que tu fabriques !*

Je regarde la poupée bientôt terminée, en effet elle ressemble à mon doux vampire. Mon inconscient m'a poussé à fabriquer l'objet de mes désirs.

— *Tu as raison, désolée...*

— *Je l'adore, tu pourrais me faire mes frères, toi et moi ? me demande Jenny enjouée.*

— *Si tu veux, nous ferons cela ensemble alors !*

Le fait d'avoir croisé Maximilian ce matin hante mon esprit. Je sais qu'aujourd'hui, il passe la journée avec Juliet, mon cœur se serre dans ma poitrine et ma respiration se coupe.

— *Aziliz ! Ça va ? ANDY !*

J'essaie de rassurer la petite fille, mais rien à faire. Je ne contrôle rien, cette douleur m'envahit avec une telle puissance. Je me sens impuissante, incapable de faire face à tout cela. Un courant d'air arrive dans la pièce.

— Qu'est-ce qui se passe Jenny ? demande Andy pas rassuré.

La petite fille pointe son doigt vers moi, des larmes coulent sur son visage. Andy arrive vers moi, me prend contre lui. Ce n'est pas la première crise d'angoisse que je fais depuis 15 jours. Mais, celle-ci est plutôt virulente.

— Calme-toi, Aziliz. Ça va, je suis là.

Il me berce doucement dans ses bras, sans que je ne puisse plus rien contrôler, les larmes envahissent mon visage et je sens une énorme vague de chaleur déferler dans mon corps. C'est si intense et incontrôlable à la fois. Les fenêtres éclatent en mille morceaux, Andy arrive à attraper Jenny et il nous protège du mieux qu'il le peut. Je veux que tout cela s'arrête, je veux que l'on m'achève afin de ne plus sentir cette souffrance.

— Aziliz, calme-toi. Je sais que c'est dur, mais il faut que tu reprennes le contrôle de tes pouvoirs.

La voix douce de Andy s'insinue en moi, elle m'apaise lentement et je reprends doucement le contrôle de ce qui m'entoure. Ma respiration se débloque et je peux de nouveau respirer normalement. Je regarde Jenny et Andy, j'espère que je n'ai blessé personne.

— Tu n'as rien, Jenny ? Andy ? Je suis tellement désolée, dis-je encore chamboulée.

— Nous n'avons rien, rassure-toi. Ce n'est pas de ta faute, alors ne culpabilise pas.

Jenny est inquiète, je peux le voir dans son regard et cela accentue mon mal l'aise.

— Je suis vraiment désolée, Jenny.

— Je ne t'en veux pas.

Elle me prend dans ses bras, je caresse ses cheveux alors que mes larmes continuent de couler sur mon visage.

Je n'arrive plus à supporter cette situation, elle devient trop dure et j'ai de plus en plus de mal à contrôler tout cela. Visiblement, je ne suis pas seulement un loup et un vampire, pour dégager autant de magie, je dois aussi avoir des pouvoirs de sorcières. Trop de choses à contrôler, gérer et apprendre en même temps. Et puis pourquoi mes parents m'ont-ils caché tout cela ?

Je me concentre afin de réparer les vitres que je viens de briser et réparer les bêtises que j'ai faites, malgré tout.

— *Monte te reposer, je m'occupe de Jenny.*

— *Merci beaucoup, Andy !*

Je dépose un baiser sur sa joue et monte dans ma chambre. Je me laisse tomber dans mon lit, je ressens une énorme fatigue. Je pense à mes parents, ils m'ont donné amour et tendresse. Pourtant, ils m'ont dissimulé une partie de mon identité et aujourd'hui à cause de cela, je nage en pleine eau trouble.

— *Pourquoi, pourquoi m'avez-vous dissimulé ma vraie nature ?*

Je lâche un profond soupir, je suis complètement perdue avec toutes ses capacités qui sortent les unes après les autres. Je me redresse pour attraper ma guitare, il faut que je me calme.

***

Quand je suis arrivé au manoir après ma journée avec Juliet, je suis monté directement dans ma chambre pour faire le point. Malgré que j'ai passé la journée avec Juliet, c'est Aziliz qui a été dans mon esprit. Je n'ai fait que de penser à elle, à notre rencontre ce matin, après quinze jours sans la voir. La nuit est pratiquement tombée, quand nous sommes rentrés au manoir. Je suis posé dans ma chambre à réfléchir quand j'entends la guitare d'Aziliz et sa voix qui résonne dans sa chambre. La mélodie est dynamique, mais tout de même mélancolique et les paroles sont tristes. Elles me transpercent le cœur. On peut ressentir la force de son mal-être. Je peux sentir la douleur qu'elle dissimule en elle depuis des semaines et cela me tue littéralement une seconde fois.

Alors qu'elle finit sa chanson, sa guitare se pose brusquement et j'entends de grands éclats. Je me lève rapidement pour rentrer dans la pièce, tout est sens dessus dessous, Aziliz a les genoux remontés contre sa poitrine en pleurant. Cette scène me déchire l'âme. Je sens une odeur de sang frais qui me parvient avec violence aux narines. Je regarde pour voir d'où cela vient et j'aperçois au niveau de son bras, une entaille profonde. Je prends sur moi et m'approche doucement d'elle.

— Aziliz !

Elle sursaute quand elle entend ma voix s'élever. Elle ne prend même pas la peine de me regarder.

— S'il te plaît, Maximilian. Va-t'en !

Je peux ressentir sa douleur, elle m'envahit entièrement et pour la première fois depuis qu'Aziliz est ici, j'arrive à voir ses pensées. Je revois chaque instant que nous avons passé ensemble, sa transformation et l'arrivée de mon père.

— Maximilian, va-t'en par pitié ! me supplie-t-elle.

Je n'ai pas envie de partir, je veux juste la prendre contre moi. Andy arrive dans la chambre, il pose une main sur mon épaule avec un air compatissant.

— Aziliz, tu t'es blessée. Viens, nous allons soigner ça.

La jeune femme laisse Andy la relever et l'emmener dans la salle de bain pour la soigner. Elle n'a même pas posé un regard dans ma direction et c'est douloureux. Mais, une révélation vient de s'imposer à moi subitement.

Je viens enfin de trouver la réponse au choix que je dois faire, pourquoi ai-je un instant eu un doute sur la femme qui partagerait ma vie.

Chapitre 10

Je quitte la chambre d'Aziliz puis je descends l'escalier du manoir et monte dans ma voiture pour partir vers la ville.

Aziliz
Andy m'a emmené vers la salle de bain et soigne la plaie que je me suis faite.

— Ça va, Aziliz ?

— Il faut que je quitte le manoir, je vous mets en danger !

— Non, pas question. Andy arrive à canaliser tes crises d'angoisses. Je sais que c'est dur pour toi Aziliz, mais je ne peux pas te laisser seule. Tu pourrais, sans le vouloir, utiliser tes pouvoirs, me dit Jayden qui vient d'entrer.

— Oui, je comprends. Maximilian est encore là ?

— Non, il a pris sa voiture, il y a cinq minutes, me répondit-il.

J'ai été dur avec lui, il a voulu me venir en aide, mais moi, j'ai été agressive. Je n'arrive pas à le voir avec son premier amour. Moi, Aziliz, je suis jalouse pour la première fois de ma vie. Une fois que Andy a fini de me soigner, Jayden avance vers moi et dépose un baiser sur mon front, comme le ferait un grand frère. Puis il quitte ma chambre, Andy me regarde.

— Tu t'es remise à la guitare ?

— Oui, j'ai composé sur mon chagrin. J'en avais besoin.

— J'ai entendu ça. Tu sais, Aziliz... si tu m'avais choisi...

Je le coupe net avant qu'il ne poursuive sa phrase. Je l'ai toujours su, mais j'ai fermé les yeux.

— Andy…

— Pardon, je n'aurais pas dû dire ça, mais ta douleur me ronge aussi, car je la ressens au fond de moi.

Je pose mes mains sur le rebord de ma fenêtre, je suis amoureuse de Maximilian qui ne sait pas quel choix faire et Andy lui est amoureux de moi. Que suis-je censé faire ? Je n'aurais jamais dû venir à Mystic Angel, je voulais juste oublier la mort de mes parents. Je me sens mal de savoir qu'Andy ressent quelque chose pour moi, autre que de l'amitié. Andy pose sa main sur mon épaule et cela me fait sursauter.

— Ne te torture pas, Aziliz. Ton amitié me suffit. Quand je me suis aperçu que Maximilian et toi vous rapprochiez, je me suis fait une raison.

Les larmes m'échappent malgré moi. Andy me prend dans ses bras.

— Comment fais-tu, Andy ? Pour accepter cela ? Accepter de me voir avec ton frère ?

— Parce que je te vois t'épanouir à ses côtés, il te rend heureuse, enfin pas pour le moment, je te l'accord, mais avant la tornade Marcus, tu étais joyeuse juste d'être avec lui.

Alors c'est ça que je dois faire, accepter de voir Maximilian heureux même si ce n'est plus avec moi. Tourner la page et le laisser vivre l'histoire d'amour qu'il n'a pas pu vivre à l'époque. Andy sèche les larmes de mon visage, son contact est quand même agréable, ses lèvres se rapprochent des miennes, et les effleurent légèrement.

— Quand tu seras prête à passer à autre chose, je serais là !

Il me sourit, caresse mon visage une dernière fois et quitte la pièce. Me laissant avec encore plus de tourments. Dieu, que tout cela est compliqué !

***

Je gare ma voiture dans l'allée du jardin, je sais enfin. Je monte les escaliers qui mènent à la porte d'entrée puis pousse la grosse porte. Quand j'arrive dans le salon, tout le monde est présent sauf Jenny qui doit dormir depuis longtemps. Aziliz baisse la tête afin de fuir mon regard.

— Te voilà enfin, Maximilian !

Je ne réponds même pas et avance dans la pièce, si j'avais un cœur vivant, il battrait si fort dans ma poitrine que je serais pas loin de la crise cardiaque. Pour la première fois de ma vie, je sens une boule se former dans mon ventre. Et si elle ne voulait plus de moi maintenant que j'ai fait mon choix ? Je prends une grande respiration, puis je m'arrête devant celle que mon cœur a choisie depuis le début. Je m'en veux terriblement d'avoir douté ne serait-ce qu'une seconde. Je prends le visage d'Aziliz dans ma main et l'oblige à plonger son regard dans le mien. Ses magnifiques prunelles rouges me regardent, sa langue passe délicieusement sur ses lèvres.

— Je suis un con, Aziliz. Un con, d'avoir douté un seul instant de mon amour pour toi. Tu es la seule que j'aime et maintenant pour l'éternité. Tu n'as pas quitté mon esprit depuis quinze jours, même quand j'ai passé du temps avec Juliet, c'est à toi que je pensais. Je t'aime, Aziliz. Je t'aime comme un fou.

Je vois son visage s'illuminer au fur et à mesure de mon discours. J'attrape ma louve pour la mettre sur mon dos, elle passe ses bras autour de mon cou et je me mets à courir. J'ai juste le temps de voir mes deux frères s'interposer afin que notre créateur ne puisse pas nous suivre. Nous sommes dans le jardin et arrivons dans une partie du domaine qu'Aziliz n'a pas encore vu. On peut entendre le bruit de la cascade, les oiseaux qui gazouillent et plein d'autres bruits tous aussi apaisants les uns que les autres.

— Où m'emmènes-tu, mon beau vampire ? Tu sais, je peux courir moi aussi, maintenant.

— Nous avons des dépendances sur le terrain, personne ne nous trouvera dans celle où l'on va. Oui, je sais, mais je voulais me rappeler le temps où je pouvais te prendre comme ça, alors que tu n'étais encore qu'une louve fragile, dis-je pour la taquiner.

Elle me donne un petit coup suite à ma dernière phrase et cela me fait sourire. Je vois enfin la petite dépendance, Aziliz est émerveillée par ce qui l'entoure. Quand je la pose au sol, elle observe tout ce qui l'entoure alors que je la prends dans mes bras, ma tête posée sur son épaule.

— Je me sens tellement bête, Aziliz !

Elle se retourne vers moi, pose une main sur mon visage.

— Tu avais le droit de douter après tout, elle a été ton premier amour. Je ne t'en ai jamais voulu, mais c'était douloureux.

— Je ne te mérite pas, tu es un ange parmi les enfers !

— Si tu es le diable alors je veux vivre avec toi dans les enfers !

Je l'embrasse avec voracité, ses lèvres m'ont tellement manquées, et sentir son corps sous mes doigts. J'en veux plus, je veux que nos corps ne fassent plus qu'un, et me fondre en elle pour l'éternité.

— Maximilian, je dois t'avouer quelque chose.

Sa voix est devenue timide et gênée soudainement.

— Je t'écoute, ma petite chose.

Elle se triture les doigts nerveusement, elle ouvre la bouche puis la referme à plusieurs reprises, comme si elle cherchait les bons mots.

— Tu es… le premier… enfin je…

Subitement, tout devient clair en la voyant bafouiller.

— Tu n'as jamais fait l'acte, c'est ça ?

Elle hoche la tête timidement alors que je vois ses joues se teinter de roses et que sa tête est baissée, évitant mon regard. Je pose un doigt sous son menton afin qu'elle me regarde, ses yeux rouges d'où je peux voir le désir naissant en elle se plongent dans mes prunelles d'ambre qui doivent aussi exprimer le désir que je ressens pour elle.

— Je ne suis pas pressé, nous avons tout notre temps…

— Non, ce n'est pas ça. J'en… ai très… envie… moi aussi ! me coupe-t-elle avec empressement.

Elle rougit de plus belle, j'ai compris ce qu'Aziliz voulait dire alors pour abréger cette gêne, je l'embrasse langoureusement. Je l'entraîne jusqu'à la dépendance tout en continuant le ballet de nos langues qui jouent ensemble. Un gémissement de bien-être et de bonheur brise la barrière de nos bouches qui se cajolent. Comme si nous avions manqué d'oxygène jusque-là et qu'enfin nous le retrouvons. Mes mains parcourent son corps avec avidité, j'adore sentir la chaleur qu'elle dégage quand mes doigts se posent sur elle. Nos souffles deviennent saccadés au rythme que monte le désir. Délicatement, je la dépose sur le lit. Nos lèvres se séparent quelques secondes, quand son corps tombe sur le lit et le mien vient surplomber le sien. Je replace une mèche de ses cheveux, alors que son souffle se fait court et que ses yeux sont brillants de plaisir.

— Tu es si belle !

Aziliz se cache, gênée.

— Ne dis pas, n'importe quoi !

— Il n'y a que toi qui ne vois pas comme tu es belle.

Je défais ses bras qui camouflent son visage et l'embrasse un peu partout. Elle porte une petite robe bustier rouge qui épouse ses formes à merveille malgré sa perte de poids. Je m'en veux terriblement, car cela est de ma faute.

— Que se passe-t-il, mon vampire ?

— Tu as perdu combien de kilos depuis notre séparation ?

— Ce n'est pas de ta faute !

— Bien sûr que si, ma petite louve ! Combien, Aziliz ?

Elle soupire avant de répondre.

— 5 kg !

— Je ne suis vraiment pas bon pour toi !

— Ne dis pas ça ! Jayden dit que j'aurais perdu du poids de toute façon, car je dois apprendre à gérer mon alimentation qui est différente de la vôtre ou même de celle d'un être humain. Il faut que je me nourrisse de sang et de nourriture humaine. Le tout est de trouver le bon équilibre.

Essaie-t-elle de me rassurer ? Cela n'a pas l'air, elle semble sincère et Jayden m'a dit qu'elle restait en partie humaine.

— Maximilian ! S'il te plaît, ne t'inflige pas une punition pour ce qui s'est passé. Tu avais le droit de douter, tu avais aussi le droit de la choisir. Je l'aurais compris et je ne t'en aurais pas voulu. La seule personne fautive de cette histoire, c'est votre père !

— Je le suis autant que lui, je t'ai fait souffrir ! Et toi, tu m'accordes ton pardon ! Andy ne t'aurait jamais fait ça !

Elle me regarde, stupéfaite.

— Tu savais pour Andy ?

— Oui. Je ne lui en ai jamais voulu, je me sentais même coupable de t'aimer, mais je ne pouvais aller contre cette attirance presque magnétique qui m'attire à toi. Alors Andy, s'est effacé, car il a vite compris que nous sommes…

— Des âmes sœurs ! Quand Juliet est apparu, j'ai pu ressentir la douleur qui t'a envahi.

Je comprends maintenant, quand je lui ai offert l'immortalité, nos sentiments se sont liés. La légende est vraiment réelle, elle disait que le vampire qui a mordu serait lié à jamais à la louve et que la louve serait liée à ce vampire pour l'éternité. Que l'un sans l'autre, ils ne peuvent vivre ! Elle était destinée à être mienne, comme j'étais destiné à être sien. Sans le savoir, nos avenirs étaient liés.

Andy

Maximilian a enfin fait le choix qui s'impose de lui-même, malgré le petit pincement au cœur que je ressens, je suis heureux pour Aziliz. Mon frère attrape la jeune femme qu'il glisse sur son dos et ils disparaissent dans un courant d'air. Père veut les suivre, mais il n'en est pas question, je vois Jayden se poster en même temps que moi devant notre créateur.

— Non ! Fous-leur la paix !

— Oh ! Deviendrais-tu rebelle, Jayden ? Te laisserais-tu influencer par ton frère ?

— Non, je me bats pour une juste cause. Aziliz et Maximilian sont faits pour être ensemble !

— Où vont-ils ?

— Cela ne sert à rien de nous manipuler, nous ne savons rien.

Notre père est dans une rage noire, je crois ne l'avoir jamais vu aussi en colère. Il se tourne vers Juliet.

— Tu ne me sers plus à rien !

Avant qu'il tente quoi que ce soit, je me suis déplacé vers la jeune femme pour la protéger.

— Tu as vraiment trop bon cœur, Andy ! Je dois aller chasser ! Fais comme bon te semble avec elle !

Et il quitte le manoir. Nous allons devoir encore effacer ses traces.

— Merci beaucoup !

— C'est normal.

Juliet et Aziliz se ressemblent beaucoup physiquement, même si elles diffèrent sur la couleur de leurs cheveux et yeux. Seul le caractère semble différent sur certains points. Je décide de raccompagner Juliet vers sa chambre, où j'ai passé la nuit à discuter avec elle.

***

Je regarde Aziliz après avoir compris que la légende parlait de nous depuis le début.

— En fait, sans le savoir mon père nous a réunis.

— Je penserais à le remercier avant de le tuer ! me dit-elle avec ironie.

Je me mets à rire, puis je l'embrasse à nouveau alors que ses mains passent sous mon sweat.

— Tu es entreprenante, petite chose ! Que veux-tu ?

— Je te veux, toi !

Sa voix est sensuelle, je ne peux pas résister et commence à l'embrasser dans le cou. Mes mains effleurent le haut de sa poitrine, son corps se cambre sous cette caresse. Alors que mes lèvres remplacent mes doigts, un gémissement sort de la bouche de ma louve. Je passe mes mains dans son dos et fais glisser la fermeture de sa robe. Je fais glisser le tissu le long de son corps, le découvrant peu à peu. Elle est délicieuse, Aziliz cache sa poitrine avec ses bras. Elle est toute rougissante devant sa nudité. J'attrape délicatement ses poignets et les place au-dessus de sa tête. Je ferme légèrement les yeux pour me calmer un peu.

— Tu es vraiment magnifique !

Je vois le rouge monter encore plus sur ses joues, mon érection devient douloureuse tellement je la désire. De ma main libre, je caresse un de ses seins et son corps se cambre davantage. Je joue doucement avec son téton qui durcit entre mes doigts et son gémissement m'invite à poursuivre.

— Je te désire tellement, Aziliz !

Ma voix est rauque et suave. Je ressens un tel plaisir jusqu'ici jamais assouvi.

— Hum... Maximilian !

Mon nom est un murmure tellement doux à mes oreilles, elle apprécie ce que je fais. Malgré que je ressente la peur qui la tiraille d'avoir mal. Mes lèvres remplacent mes doigts et son gémissement n'en est que plus intense. Elle enroule ses jambes autour de mon bassin et son corps se cambre alors que je malmène gentiment son téton avec ma langue froide. Je relâche ses mains qui viennent enlever mon sweat, elle dessine avec sa pulpe chacun de mes abdominaux. Je frissonne sous ce contact agréable, je presse mon corps qui épouse le sien à la perfection et elle peut sentir mon érection contre son intimité.

— On peut arrêter maintenant, Aziliz. Si tu préfères attendre...

Elle pose un doigt sur mes lèvres.

— Tais-toi et embrasse-moi, Maximilian !

Je réponds à sa demande, son corps est encore plus chaud que d'ordinaire au fur et à mesure que le désir monte en elle. Nos respirations deviennent saccadées alors que ma bouche explore de nouveau le corps d'Aziliz dans la moindre parcelle. Elle passe ses mains sur la ceinture de mon pantalon, qu'elle réussit à déboucler et défait le bouton qui retient mon jean. Elle fait lentement glisser mon jean avec son pied. Avec mes dents, j'enlève sa culotte, je profite pour me débarrasser de mon boxer. Aziliz mord sa lèvre inférieure et détourne le regard devant mon érection. Je dépose des baisers un peu partout sur ses jambes jusqu'à remonter à son intimité.

— Hummm...

Je caresse son visage.

— Tu es toujours sûr de vouloir ?

Elle me regarde et sourit en hochant la tête affirmativement.

— D'accord alors voilà comment cela va se passer. Je vais doucement rentrer en toi, il faut que tu sois le plus détendu possible. Une fois dedans, j'attendrais que ton corps s'habitue au mien. Tu me diras quand tu te sentiras prête et je commencerais à faire des mouvements de va-et-vient doucement en toi.

— Merci, Maximilian. D'être si attentionné avec moi.

— Je veux que ta première fois soit parfaite. Je ferais tout pour toi.

Aziliz caresse mon visage, puis glisse sur mes lèvres avec sa langue. Doucement, je pénètre ma petite chose, je progresse avec douceur tout en continuant de la caresser et de l'embrasser pour qu'elle soit la plus détendue possible. Je reste à l'affût des expressions de son visage, mais il est paisible alors qu'enfin, je suis totalement en elle. Je ne bouge plus, caressant ses cheveux et attendant que ma douce louve me donne le signal. Elle m'embrasse, puis commence à faire quelques mouvements avec son bassin et je commence à faire bouger le mien à son rythme. Ses doigts me caressent, elle prononce mon nom à mesure que le désir grandit en elle. Je n'ai jamais autant aimé faire l'amour, malgré que ce soit sa première fois, Aziliz m'impressionne. Subitement, Aziliz me fait basculer, je me retrouve sur le dos et elle ondule du bassin.

Je ne sais pas combien de temps s'est écoulé, mais nous trouvons la jouissance ensemble. Nous sommes à bout de souffle et pleins de sueurs. Aziliz pose sa tête dans le creux de mon épaule alors que je suis toujours en elle. Nos souffles sont sur le même rythme, je caresse son dos avec délicatesse.

— Ça va, tu n'as pas eu mal ? demandé-je, pas très rassuré.

Elle redresse la tête vers moi en souriant.

— On se fait une histoire de pas grand-chose. Merci, mon amour.

— Non, c'est moi qui te remercie. Je n'ai jamais autant adoré faire l'amour que maintenant avec toi.

Elle se cache sous le drap.

— Ne dis pas ça.

Elle est toute gênée et cela me fait rire. Je passe ma tête sous les draps et je l'embrasse avec fougue. Nous sommes rapidement repartis dans une étreinte charnelle sans nous soucier de ce qui aller nous attendre par la suite.

Chapitre 11

L'aube prend la place de la nuit sombre, alors qu'avec ma petite louve, nous reprenons notre souffle. Cette fois, c'est moi qui pose ma tête sur la poitrine de Aziliz et je peux entendre son cœur battre à un rythme fou. Ses doigts jouent dans mes cheveux alors que je caresse son ventre.

— Je t'aime ma petite chose !

— Je t'aime aussi mon doux vampire !

Doucement, nos respirations reprennent un rythme normal, mais nous restons un moment allongés l'un contre l'autre.

— Nous allons devoir rentrer !

— Je sais bien !

Je l'embrasse avec avidité, puis je me lève à la recherche de mes fringues alors qu'Aziliz me regarde en rigolant.

— Tu trouves ça drôle, tu vas voir !

J'attrape le drap qui recouvre encore le corps nu d'Aziliz. Elle se lève et couvre sa poitrine avec ses bras.

— Maximilian !

— Je te préfère comme ça, petite louve !

Je l'attrape dans mes bras et l'embrasse avec passion. À bout de souffle, nos lèvres se détachent. Nous nous rhabillons en nous dévorant mutuellement du regard.

— Tu voudrais bien me rendre ma petite culotte ?

— Non, je vais la garder comme trophée !

Elle éclate de rire, j'adore et cela me fait fondre davantage.

— Tu es un gros pervers !

Je me mets à rire à mon tour, je l'enlace puis dépose un baiser dans son cou, alors que son corps à la chair de poule. Je prends sa main dans la mienne et nous rentrons vers le manoir à contrecœur. Nous venons de franchir la grande porte quand mon père nous fait face. Aziliz se place devant moi.

— Je ne vous laisserai pas faire !

— Impressionnant ! Tu peux lire dans les esprits, même les plus puissants.

Je vois Juliet qui descend l'escalier, mais s'arrête avant la dernière marche.

— Tu sais qu'il est trop tard Marcus.

— Qu'est-ce que tu racontes ?

— Ils se sont unis, la prophétie est en marche !

— Pas si je les tue, maintenant !

— Je ne vous conseille pas d'approcher ! Je suis déjà plus forte que vous !

— Tu devrais l'écouter, père !

Mon père furieux quitte le hall, je sens le corps d'Aziliz se détendre.

— Dis-moi, Juliet. Que sais-tu de la prophétie ?

— Ce que ton père m'en a dit. Il était une fois un vampire amoureux d'une louve. Un jour, cette louve a eu un accident et le vampire dut la mordre afin de la garder en vie. Le venin du vampire mettra du temps à agir sur celle-ci. La louve devenue une vampire aura des pouvoirs qui dépasseront ceux mêmes des vampires, sorciers ou loups. Leurs destins sont liés, ils ne peuvent vivre l'un sans l'autre. Ils deviendront plus forts quand ils s'uniront en un seul et même corps. Voilà, c'est tout ce que je sais.

— Je ne comprends pas bien la dernière phrase de la prophétie...

— Je pense que c'est déjà fait. Cette nuit, je dirais ! sourit-elle.

— Oh ! dis-je surpris.

Je vois le visage d'Aziliz qui s'empourpre quand elle comprend. J'adore quand elle rougit par de simples petites choses, cela la rend encore plus excitante. Des idées friponnes envahissent subitement mon esprit. Cette nuit fut magique. Je n'avais encore jamais éprouvé cela.

— Je suis désolée, ton père m'a gardé toutes ses années dans le but que cette prophétie ne voit jamais le jour. Il était sûr que tu me choisirais et il aurait fait d'Aziliz sa fille.

Je sens un frisson de dégoût envahir le corps d'Aziliz, je la prends contre moi. Je dépose un baiser sur son épaule.

— Je suis contente, Maximilian. Que tu aies pu passer au-dessus de notre histoire. Pour moi, nous sommes morts il y a 75 ans et notre amour avec.

Elle nous sourit, puis elle quitte à son tour le hall. Avec Aziliz, nous nous dirigeons vers l'étage, mais avant Jayden nous intercepte.

— J'emmène Jenny et après il faut que je vous parle.

— D'accord !

Nous entrons dans la chambre d'Aziliz qui se dirige vers la salle de bain, je prends appui sur le portant et regarde ma douce louve. Elle met les lentilles qui correspondent à la couleur de ses yeux afin de cacher le rouge de ses pupilles. Elle coiffe ses longs cheveux en une tresse et se maquille légèrement.

— Tu es magnifique ! dis-je d'une voix suave.

Je m'avance vers ma petite chose et sors une petite boîte, que je lui tends. Elle me sourit avant de prendre la boîte.

— Qu'est-ce que c'est, mon beau vampire ?

— Tu le sauras quand tu ouvriras. Je voulais te l'offrir hier soir, mais nous avons eu d'autres occupations.

Les joues d'Aziliz rougissent à l'évocation de notre nuit d'amour, puis elle ouvre la petite boîte, dedans un collier d'or blanc avec un pendentif « love » trône. Elle me saute au cou et m'embrasse avec tendresse. Je lui passe le collier autour du cou.

— Il te va parfaitement ! Je l'ai su dès que je l'ai vu.

— Merci, mon amour.

Soudain, ça frappe à la porte.

— Entre, Jayden.

Nous sortons de la salle de bain alors que mon frère entre dans la chambre. J'embrasse ma petite chose puis je la laisse avec mon frère.

Aziliz
Maximilian quitte la chambre, me laissant seule avec Jayden. Celui-ci pose une main sur mon menton puis regarde mes yeux.

— *Cela devrait suffire, tu es sûr de vouloir…*

— *On a déjà eu cette discussion, Jayden. J'ai déjà manqué quinze jours avant les vacances. Les gens vont se poser des questions, si je ne reviens pas après 1 mois.*

— *Le pire c'est que tu as raison ! Bon, tu sais que ton odorat est plus développé.*

Je hoche la tête affirmativement.

— *Ta soif de sang va être mise à rude épreuve. Maximilian sera là pour calmer cette envie. Il faut que tu contrôles au mieux tes pouvoirs, tu te souviens de notre devise.*

— *Toujours protéger la famille, quoi qu'il arrive.*

Jayden me sourit.

— *Et maintenant, tu fais partie de la famille.*

Il dépose un baiser dans ma chevelure puis quitte la chambre, je prends une longue inspiration. J'attrape mes affaires et pars rejoindre Maximilian.

— *Prête ma petite louve ?*

— *Allons-y, avant que je ne change d'avis.*

— *Ne t'en fais pas, je serais à tes côtés, ma beauté.*

Maximilian attrape ma main, puis nous nous dirigeons vers sa voiture et direction la fac. À peine sorti de la voiture que je me rends compte de ce que Jayden parlait.

— *Ça va, mon ange ?*

— *Oui, comment vous faites pour supporter ça depuis aussi longtemps ?*

Maximilian se met à rire.

— *Tu verras d'ici quelques jours, tu auras pris l'habitude et les odeurs ne te gêneront plus. Tu pourras même reconnaître les gens grâce à ça.*

Alors que j'enlace mes doigts dans ceux de Maximilian, je vois Sophie qui me fait de grands signes au loin. Je la rejoins, elle me prend direct dans ses bras. Je peux sentir son cœur battre et imagine le sang coulant dans ses veines.

— *Tu vas mieux ? me demande mon amie.*

— *Beaucoup mieux. Une vilaine grippe, mais les frères Mills se sont bien occupés de moi.*

— *Tu sembles différente ! Regarde-moi !*

Et merde, Sophie me regarde et soudain elle se recule, surprise.

— *Tu es devenue.... Une des leurs !*

Elle commence à partir.

— *Sophie, attends !*

Je la rattrape en contrôlant ma force afin de ne pas lui faire mal.

— *C'est une longue histoire, mais ils n'avaient pas le choix !*

— *Comment ça, pas le choix ?*

Je soupire avant de regarder Maximilian qui me fait un signe de tête qui veut dire que je peux lui raconter.

— *Il y a 1 mois, si Maximilian ne m'avait pas transformé, je serais morte !*

— *Quoi ? Mais que s'est-il passé ?*

— *Il y a un mois, j'ai suivi un loup qui se promenait sur le domaine des Mills. Celui-ci m'a emmené dans la forêt, il était en fait ensorcelé. Et à mon tour, je me suis trouvée ensorcelée, je me suis endormie au beau milieu d'une clairière dans la forêt. Quand le sortilège s'est brisé, je me suis réveillée prise au piège de trois vampires.*

Je vois le visage de Maximilian se froncer à se souvenir, je pose ma main sur sa joue et il se calme. Il vient embrasser celle-ci.

— *C'est Marcus Mills qui les a envoyés pour me ramener à lui sauf que les frères sont venus à mon secours. Ils ont réussi à me ramener jusqu'au manoir, mais alors que les frères préparaient un plan pour me protéger, les trois vampires sont venus me chercher. Quand les trois frères se sont aperçus de cela, ils sont tout de suite partis à ma recherche. Malheureuse, j'ai fait une chute, je me suis fracturé l'os de la jambe qui en se brisant a transpercé ma peau sectionnant une artère. J'étais en train de mourir, Maximilian m'a transformé de justesse. Les frères pensaient que je ne reviendrais plus puis j'ai ouvert les yeux au bout de quinze jours, le venin a mis beaucoup de temps à agir. J'ai gardé mes pouvoirs de louve tout en étant une vampire.*

Sophie semble abasourdie parce que je lui raconte puis me regarde.

— Tu es la vampire louve de la légende ! C'est incroyable !

— Tu la connais aussi ?

— Oui, elle est très connue comme légende. Et donc tu es le vampire de cette légende Mills ?

— Oui désolé, Collins !

Ils se toisent en chien de faïence, je me mets entre les deux. Ils ne sont pas possibles.

— Vous allez devoir apprendre à vous supporter, en tout cas en ma présence !

Maximilian passe sa main sur ma nuque et m'embrasse.

— Je suis prêt à tout pour toi, mon amour.

Sophie soupire puis se résigne à son tour.

— C'est parce que tu es mon amie et que je t'apprécie beaucoup.

— Merci.

La sonnerie retentit pour nous annoncer le début des cours, Maximilian me dépose devant ma salle.

— Andy est là, si besoin.

— Tout se passera bien. Oh ! Qu'est-ce qui sent le chien mouillé ?

Maximilian a un petit sourire avant de me montrer discrètement le professeur Connor.

— Un loup ?

— Oui, en effet. Allez, je file !

Isaac arrive à notre hauteur, l'odeur est encore plus forte. Je me contrôle au mieux. Maximilian et lui se toisent, je peux sentir la tension qu'il y a entre eux et dans une dernière provocation, Maximilian m'embrasse avec avidité avant de partir. Les yeux noisette de Isaac se posent sur moi, une drôle de sensation m'envahit comme avec le loup. Je viens de comprendre.

— *C'était vous !*

Isaac rompt le contact visuel.

— *En effet, tu as changé depuis !*

Sophie nous regarde, ne comprenant absolument pas ce qui se passe. Soudain, une main se pose sur mon épaule.

— *Tout va bien, Aziliz ?*

— *Oui ! Oui, Andy. Dis-je encore troublée.*

Le professeur Connor ouvre l'amphithéâtre afin que nous puissions prendre place. Comment peut-il savoir que j'ai changé ?

— *À ton odeur, Aziliz. Elle a changé très légèrement depuis que tu es en partie vampire.*

— *Oh ! dis-je surprise.*

Le professeur Connor fait son cours sans me lâcher du regard, ce qui agace Sophie et Andy.

***

1 semaine plus tard

Ce soir, nous partons chasser tous les cinq. Andy et Juliet se sont beaucoup rapprochés. Ce qui bien évidemment contrarie grandement Marcus. Ce n'était pas vraiment dans ses projets.

— Alors qu'elles sont les paris ?

— Je parie sur ma chère louve, c'est elle qui plantera ses crocs en premier !

— Non, ce sera Juliet !

Les deux jeunes femmes se regardent et se sourient, comme si elles avaient toujours été amies. Aziliz me surprendra toujours par sa gentillesse, Juliet était mon premier amour et malgré cela Aziliz l'accepte comme une amie.

— OK, alors c'est parti ! dit Jayden.

Nous commençons à chahuter dans les arbres comme on le fait la plupart du temps, mais cette fois nous avons deux autres personnes avec nous. Elles participent avec plaisir, Aziliz est même très joueuse et cherche Jayden. Elle est vraiment gracieuse dans ses mouvements et mon frère se met à rire.

— Tu es une vraie anguille, mais je t'aurai, ne t'en fais pas !

— Tu as l'air bien sûr de toi !

Mon frère commence à foncer sur elle, elle attend qu'il soit assez proche puis quand mon frère arrive à quelques centimètres d'elle, Aziliz saute juste au-dessus de sa tête en rigolant.

— Raté !

Je n'avais jamais vu mon frère s'amuser autant, il faut dire qu'il s'entend bien avec ma louve. Je vois Jayden qui admet sa défaite et Aziliz le prend dans ses bras puis il dépose un baiser sur son front. Je vois le regard d'Aziliz qui se tourne, puis elle se met à courir.

— Je pense qu'elle a repéré notre repas !

Nous partons vers la direction qu'Aziliz a prise, quand nous arrivons, elle est à quelques centimètres de la biche. Ses crocs sont sortis, elle cale sa respiration sur celle de l'animal, mais au moment de planter ses crocs, l'animal s'enfuit à cause d'un bruit.

Au final, la partie de chasse prit un peu plus de temps que prévu et c'est Jayden qui rafle les paris à la dernière seconde. Nous sommes en route vers le manoir, mais un peu avant d'arriver dans le jardin, j'attrape la main d'Aziliz et nous prenons une tout autre direction. Nous arrivons à la cascade qui mène vers la dépendance, mais je me stoppe et prends le visage d'Aziliz entre mes mains.

— J'aime quand nous sommes seul à seul et que le cadre est romantique comme maintenant, me dit-elle.

— Si je t'ai emmené ici, c'est pour te poser une question importante.

Elle plonge ses prunelles rouges dans les miennes.

— Je t'écoute, mon beau vampire.

Je prends une très longue inspiration, d'accord c'est le moment de vérité.

— Aziliz, voudrais-tu m'épouser ?

Chapitre 12

Elle me regarde, surprise, puis un sourire se dessine sur son visage avant qu'elle ne morde sa lèvre inférieure. Mon Dieu qu'elle m'excite quand elle fait ça.

— Oui, je veux t'épouser Maximilian !

Je la prends dans mes bras et la fais tournoyer avant de l'embrasser avec avidité. Je sors un petit écrin que j'ouvre, dedans une bague de fiançailles ornée de petits diamants que je passe autour de l'annulaire de ma future femme.

— Tu es à moi pour l'éternité maintenant !

— Comme si ça avait pu en être autrement mon vampire !

Je passe mes bras sous ses genoux alors qu'elle passe ses bras autour de mon cou et nous rentrons vers le manoir. Quand nous arrivons dans le jardin, je prends mon élan et saute jusqu'à la fenêtre de ma chambre ouverte.

— Je n'arrive toujours pas à croire que tu vas devenir ma femme, ma petite chose.

— Et pourtant je t'ai dit oui, mon vampire. J'ai su, dès le premier jour, de la première seconde où ton regard s'est posé sur moi que je serais à toi.

Je lui souris avant de l'embrasser, et que mes mains commencent gentiment à se faire baladeuses sur son corps qui se cambre instantanément. Ma petite louve passe ses mains sur mon sweat qu'elle enlève et le jette dans la pièce. Ses doigts redessinent chacun de mes pectoraux, m'arrachant un gémissement rauque puis ses lèvres remplacent ses doigts. Je la déshabille à mon tour, très vite, elle ne porte plus que ses sous-vêtements très sexy, dois-je avouer. Elle déboucle ma ceinture et enlève mon pantalon me retrouvant à mon tour seulement en boxer. Elle mord sa lèvre inférieure, alors que ses mains descendent mon boxer et sans que j'aie le temps de comprendre vraiment ce qui arrive sa bouche entame des mouvements de va-et-vient sur mon érection. Un nouveau gémissement rauque m'échappe.

— Hum... Aziliz...

Elle continue, jouant avec sa langue sur mon gland. Je ne contrôle absolument plus rien, elle me procure un plaisir si intense que je me laisse envahir par cette sensation. Un peu avant de perdre complètement le contrôle, je reprends les rênes et je passe au-dessus d'elle. Ma langue vient jouer avec la sienne alors qu'une de mes mains dégrafe son soutien-gorge et que l'autre enlève son boxer. Son corps se cambre sous mes caresses, alors que je m'aventure vers son intimité déjà prête à m'accueillir. Un gémissement lui échappe, qu'elle essaie d'étouffer contre mon torse.

— hm... Maximilian... hm...

Lentement, mes doigts caressent son corps, nos souffles deviennent de plus en plus courts à mesure que le désir grandit en nous. Je ramène Aziliz vers moi et la pénètre alors que son bassin suit mes mouvements de va-et-vient. Mes mains se posent sur ses hanches alors que son bassin ondule et qu'elle jette doucement sa tête en arrière. Je viens l'embrasser dans le cou, j'y laisse même un petit suçon alors qu'elle gémit entre ses lèvres qu'elle mord pour faire le moins de bruit possible. Je prends son visage entre mes mains pour qu'elle me regarde, ses yeux flamboyants d'un désir intense.

— Comme tu es magnifique !

Le rose monte sur ses joues, ses mains passent sur ma nuque et ses lèvres viennent s'écraser sur les miennes comme pour dire « tais-toi ». Je sens son intimité se contracter sur mon érection et elle m'invite à la rejoindre dans sa jouissance et que ces gémissements deviennent incontrôlables. Je déverse ma semence en ma future femme et pousse un dernier gémissement rauque contre son cou. Nous sommes à bout de souffle, nous restons collés l'un à l'autre un petit moment.

Le lendemain matin, Aziliz dort encore paisible sur mon torse. Je caresse ses cheveux qui tombent en cascade sur son dos, je pose ma petite louve et sors du lit. Je prends une douche puis m'habille de mon uniforme avant d'aller préparer Jenny. J'entre dans la chambre de ma petite sœur, ouvre les rideaux alors qu'elle se réveille en frottant ses yeux.

— Bonjour Jenny. Tu as bien dormi ?

— Bonjour Maximilian, oui. Où est Aziliz ?

— Elle dort encore, donc c'est moi qui vais m'occuper de toi.

— Chouette !

Jenny semble contente que je puisse prendre le relais d'Aziliz, même si elles s'entendent très bien, Jenny aime quand nous nous occupons d'elle.

— Va prendre ta douche, je m'occupe de sortir tes vêtements.

Elle sautille joyeusement jusqu'à la salle de bain puis l'eau se met en marche. Je lui sors des vêtements, je lui choisis une petite robe grise avec un t-shirt rose-pastel. Je commence le rangement de sa chambre quand l'eau s'arrête. Je tombe sur une poupée qui me ressemble et cela me fait sourire. Jenny apparaît dans sa serviette.

— C'est Aziliz qui me l'a faite. Elle est jolie ?

— Oui, est-ce que c'est moi ?

— Oui, Aziliz m'a dit qu'elle me fera Jayden, Andy, elle et moi.

— Tu en as de la chance. Allez, habille-toi pendant que je prépare le petit déjeuner d'Aziliz.

— Mais je croyais qu'elle était comme nous maintenant !

— Pas tout à fait, elle est devenue vampire, mais elle a encore besoin de nourriture humaine.

— Je ne comprends pas pourquoi ?

— C'est un peu compliqué, je t'expliquerais plus tard. Habille-toi et quand je reviens on part pour l'école ensemble.

Je lui souris puis quitte la chambre et me dirige vers la cuisine où je prépare un plateau petit-déjeuner à Aziliz. Une fois terminée, je remonte à l'étage et entre dans ma chambre. La couverture est légèrement tombée, laissant apparaître ses jolies fesses. Je pose le plateau sur ma table de chevet et avance vers ma petite chose. Je l'embrasse dans le cou puis sur les épaules.

— Bonjour, ma petite chose d'amour. Il est l'heure de se réveiller.

Elle ouvre les yeux, qu'elle frotte et se redresse en s'étirant, me laissant le loisir de la voir nue. Quand elle se rend compte de ça, elle remonte le drap.

— Tu es un pervers ! Elle se met à rire. Bonjour, mon vampire, quelle heure est-il ?

— Il est bientôt 8 heures !

— Quoi, mais…

— On se détend, je me suis occupé de Jenny. Je vais l'emmener à son école pendant que toi, tu vas prendre ton petit déjeuner et te préparer. À tout de suite, ma beauté, je t'aime.

— Tu es vraiment adorable, mon amour.

— Seulement avec toi, ma louve.

Je l'embrasse avec tendresse et quitte la chambre puis passe prendre Jenny qui est habillée et même coiffée. Elle prend ma main heureuse et nous nous dirigeons vers ma voiture.

Aziliz

Maximilian vient de quitter la chambre, il est vraiment adorable de m'avoir remplacé pour Jenny. Je prends le petit déjeuner que mon futur époux m'a préparé, une rose trône au centre du plateau. Je la porte à mes lèvres en souriant. Une fois mon petit déjeuner avalé, je me dirige vers la salle de bain et prends une longue douche chaude. Je m'enroule dans une serviette puis me dirige vers ma chambre où je mets mon uniforme. Je rentre dans ma salle de bain, je brosse mes cheveux et les laisse retomber en cascade sur mes épaules. Je me maquille et mets mes lentilles afin de cacher mes prunelles encore rouges. Soudain, je sens deux mains se poser sur ma taille et des lèvres se posent dans mon cou, mon corps réagit instantanément.

— Tu es magnifique !

Je me tourne vers mon vampire, passe mes bras autour de son cou et l'embrasse avec avidité. Quand nous nous séparons, c'est à bout de souffle.

— Merci pour ce matin, c'était adorable.

— C'est toi qui es adorable, tu me rends heureux Aziliz.

Nous descendons vers la salle à manger où il y a Jayden, Andy et Juliet. Je suis soulagée, car Marcus n'est pas présent, moins je le vois et mieux je me porte.

— Bonjour tous les deux ! nous lance Jayden.

— Salut !

Je passe mes mains autour du cou de Jayden qui dépose un baiser sur mon front. Andy attrape ma main en souriant.

— Félicitations !

Je baisse la tête légèrement gênée.

— Elle veut bien devenir ma femme.

— Je suis heureux pour vous.

Je me dirige vers Juliet.

— Je suis...

— Aziliz, ne sois pas désolée, mon amour pour Maximilian est loin derrière moi. Je suis vraiment très heureuse qu'il ait pu te trouver. Félicitations !

Elle me sourit et m'enlace comme si nous avions toujours été amies.

Je suis surpris par le geste de Juliet, mais elle semble sincère.

— On va devoir organiser tout ça.

— Oui, mais plus tard, car là on va y aller, sinon on va être en retard à la fac.

Je prends la main de Aziliz puis nous quittons le manoir en direction de ma voiture. Nous arrivons à la fac, je prends Aziliz dans mes bras et nous nous dirigeons vers notre première heure de cours. Sophie attend ma petite louve.

— Je t'attends là, ma petite femme !

Je l'embrasse dans le cou puis elle se dirige vers Sophie qui remarque l'alliance qui trône sur le doigt de ma petite chose.

Nous sommes en fin d'après-midi, Aziliz avait un cours de Mythe et légende. Je me pose sur le mur face à la salle afin de l'attendre, la sonnerie retendit. Les étudiants sortent et soudain, Courtney attrape Aziliz.

— D'après la rumeur, tu épouses Mills, car tu serais enceinte !

— Quoi ? Pourquoi tu racontes des conneries pareilles ?

Je vois pour la première ma petite louve perdre le contrôle, ses crocs sortent légèrement. Ses lentilles cachent de moins en moins bien ses prunelles.

Chapitre 13

Je dois me faufiler entre l'amas d'élèves qui se forme entre Courtney et Aziliz.

— Écoute-moi bien Courtney, si j'épouse Maximilian c'est par amour, un mot que tu ne sembles pas connaître !

Courtney ouvre la bouche de surprise, ma petite louve vient de lui clouer le bec. J'arrive enfin jusqu'à ma future femme et la prends dans mes bras avant de lui murmurer.

— Il faut que tu te calmes, tes crocs commencent à se voir et tes lentilles, cache de moins en moins tes prunelles.

Son cœur tambourine dans sa poitrine, son souffle est plus court, puis comme si, ma présence l'apaisait, je sens doucement son souffle redevenir normal et son cœur bat à un rythme régulier. Je soulève doucement son menton, ses crocs sont rentrés et ses lentilles cachent de nouveau ses yeux.

— Tu m'impressionnes de jour en jour, ma petite chose.

Je l'embrasse et tous les regards se tournent sur nous, mais à cet instant je me moque bien de ce qui nous entoure. Soudainement, une main se pose sur mon épaule, en aboyant d'arrêter. Quand je me sépare des lèvres d'Aziliz, ce sont deux prunelles noisette qui m'observent et les élèves se dispersent dans le couloir.

— Je vous conseille de ne plus vous approcher d'Aziliz !

Mon regard est très clair, mais le professeur Connor soutient mon regard et c'est Aziliz qui met fin en s'interposant entre nous, ses mains sur mon torse.

— Il ne m'approchera plus...
— Mais nous savons que ce n'est pas possible, j'ai fait la promesse à ta mère !

Il murmure cela pour que nous soyons les seuls à pouvoir l'entendre. Aziliz se retourne vers lui avec surprise.

— Que voulez-vous dire ?
— Nous en parlerons plus tard.

Il commence à faire un mouvement pour retourner dans l'amphithéâtre, mais Aziliz lui attrape le bras pour le stopper.

— Quand avez-vous connu ma mère ?
— Au lycée, je te promets que nous parlerons de tout ça.

Elle lâche le bras du professeur Connor, elle est comme abasourdie par la nouvelle. Je la retiens, car ses jambes ont dû mal à la soutenir.

— Ça va, tu es toute pâle !
— Oui, enfin non... enfin, je... sais pas...

Je l'emmène vers ma voiture, l'installe et démarre pour rentrer au manoir. Je me demande ce que Connor a pu promettre à la mère d'Aziliz, je déteste les Loups.

— Qu'est-ce que ma mère me cachait ?

— Écoute si elle a fait tout cela, c'est sûrement pour te protéger.

— Mais me protéger de quoi, bordel ? Si elle m'avait dit depuis ma naissance que j'étais une louve, je maîtriserais mes pouvoirs. J'ai l'impression de ne pas la connaître.

Les larmes envahissent le visage de ma douce petite chose, sa douleur m'envahit aussi. J'arrête la voiture, descends puis invite Aziliz à en faire de même et je la prends contre moi.

— Je suis désolé, mon amour.

J'essuie les larmes qui coulent sur son doux visage et pose mon front contre le sien.

— Si tu veux, nous chercherons pourquoi ta maman voulait que certaines choses restent secrètes. Mais je suis sûr qu'elle a fait ça pour te protéger.

Puis nous reprenons la direction du manoir, quand nous arrivons, Aziliz salue rapidement tout le monde et monte à l'étage.

— Un souci ? me demande Jayden.

— Les rumeurs vont bon train à la fac et elle vient d'apprendre par le loup que sa mère lui cachait des choses.

— Qu'est-ce que vient faire Connor dans cette histoire ? dit-il avec surprise.

— Il connaissait bien la mère d'Aziliz, il a promis de veiller sur elle.

— Oh !

Mon frère est surpris par ce que je viens de lui dire.

— Je monte voir ce que fait ma future femme.

Jayden me fait un petit signe de tête puis je monte l'escalier et découvre la porte d'Aziliz grande ouverte. Un carton est posé sur son lit, elle le regarde sans oser l'ouvrir. Je m'avance dans la chambre et ferme la porte derrière moi.

— Je n'ai pas ouvert ce carton depuis qu'ils sont morts, je n'en ai jamais trouvé la force.

Je prends ma petite louve dans mes bras puis elle prend ma main dans la sienne et se dirige vers le carton que nous ouvrons ensemble. La main d'Aziliz tremble légèrement quand elle attrape une photo de ses parents. Elle ressemble énormément à sa mère, une larme coule sur sa joue alors qu'elle sort un papier.

— Qu'est-ce que c'est ?
— Mon extrait de naissance, mais regarde, la case du père est vide…

Je vois son regard se perdre dans les souvenirs avant de revenir à la réalité. Elle continue de fouiller dans le carton. Cette fois, un certificat d'adoption.

— Non, non ! C'est impossible… Impossible.

Je prends le papier que ma louve a entre les mains.

— Qui est Samuel Tremblay ?
— Mon père !
— Oh !

Je suis surpris.

— Ma vie est bâtie sur un mensonge, le père qui m'a élevé et donné son nom ne l'était pas.

Je la prends contre moi, sa douleur me transperce et je peux voir ses pensées qui défilent à toute vitesse. Elle replonge la main dans le carton, une lettre cette fois.

Ma petite sorcière d'amour,

J'aimerais tellement être à vos côtés. Comment va notre petite Aziliz ? J'ai hâte de pouvoir la revoir. Je veux que tu remercies Samuel de tout ce qu'il fait, d'avoir accepté d'élever notre fille et de faire semblant d'être un mari aimant. Mais si Marcus Mills venait à apprendre pour notre petite Aziliz. J'ai bien reçu tes dernières photos, elle te ressemble terriblement. Embrasse-la pour moi.
Je t'aime comme un fou ma sorcière. À très bientôt.

— Et la tornade Marcus a encore frappé, je suis tellement désolé.
— Ce n'est pas ta faute, mon amour ! Tout ce que je veux savoir c'est qui est mon vrai père. Il faut que je parle avec le professeur Connor.

Mes crocs sortent et mes prunelles d'ambre deviennent rouges, je ne veux pas qu'il approche de ma future femme, mais il est le seul à pouvoir répondre aux questions d'Aziliz.

— Je sais qu'il est le seul à pouvoir répondre à tes questions donc je te laisserais le voir, mais je ne pourrais pas être à tes côtés.
— Pourquoi tu ne peux pas venir ?
— Les loups et les vampires ne sont pas vraiment amis. Et comme tu as pu le voir avec Connor, on ne peut pas se voir.
— En effet, j'ai pu voir ça. Je vais lui envoyer un message.

Elle se redresse, attrape son portable et commence à pianoter dessus. Elle revient vers moi, referme le carton et le range dans son armoire. Son téléphone bip, elle regarde et répond.

— Bon, je vois le professeur Connor dans une demi-heure.

— Fais attention à toi, je ne serais pas là pour te protéger.

Je la prends dans mes bras et l'embrasse avec passion.

— Tout va bien se passer Maximilian, je serais vite de retour.

Ses doigts se détachent petit à petit des miens et elle quitte la chambre.

Aziliz

Je quitte le manoir et me dirige vers le lieu du rendez-vous que Isaac m'a donné. C'est le petit pub près de l'université, je pourrais y être en moins de 5 minutes en utilisant mes pouvoirs de vampire, mais on pourrait me voir. J'arrive 20 minutes plus tard au petit bar, je m'installe à une table et commande un verre d'eau.

Isaac arrive cinq minutes après, il commande une bière et me rejoint.

— Bonsoir Aziliz !

— Bonsoir Professeur Connor !

— Appelle-moi Isaac.

— D'accord. J'ai découvert ça dans les affaires de mes parents.

Je lui tends les papiers trouvés, il les regarde et je vois son regard se perdre soudainement dans ses pensées

— Que veux-tu savoir Aziliz ?

— Vous avez connu mes parents alors vous avez forcément connu mon vrai père.

Il porte la bière à ses lèvres, boit une gorgée et repose son verre avant de me regarder. Il prend une longue inspiration.

— En effet, j'ai bien connu tes parents. Ton père Samuel t'aimait comme sa propre fille. Ta mère est tombée enceinte à 22 ans, elle venait de finir la fac. Ton père était très amoureux de ta mère, ils avaient prévu de se marier et de s'installer ensemble. Alors que ta

mère était enceinte de 6 mois, un homme est venu la voir, pour lui dire que sa fille deviendrait la Louve Vampire de la prophétie.

— Marcus !

— Oui, c'est bien Marcus. Ta mère en a parlé avec ton père et ils ont décidé que pour ton bien, ils devaient se séparer et changer de vie.

— Isaac, qui est mon père ?

Isaac prend une nouvelle gorgée de bière, et plonge son regard dans le mien.

— Tu es sûr de vouloir savoir ?

— Ils ont sacrifié leur amour pour moi, mais malheureusement je suis quand même devenue une louve vampire.

— Comme tu sais, je suis un loup, donc j'ai tout de suite senti ta transformation.

— Oui, je le sais, c'est même pour ça que Maximilian n'est pas présent. Qui est mon père Isaac ?

— C'est moi, ton père !

Chapitre 14

Je n'ai pas pu m'empêcher de suivre Aziliz jusqu'au lieu de rendez-vous, je suis dans un arbre et d'ici je peux les voir discuter. Soudain, il dit quelque chose qui laisse ma petite chose estomaquer, elle se lève et quitte le pub précipitamment. Elle regarde autour d'elle avant de disparaître dans la forêt à toute vitesse, j'ai à peine le temps de comprendre que je peux voir Connor se transformer en loup et il entre dans la forêt sûrement pour partir à la recherche d'Aziliz. Je dois la retrouver avant ce loup, je pars à mon tour dans la forêt.

Je retrouve enfin ma petite louve, cela m'a pris un temps fou, mais elle est là. Elle est agitée, énervée et en larmes.

— Aziliz, c'est moi !

Je m'avance vers ma petite chose, la prends contre moi.

— Qu'est-ce qui s'est passé ?

— Un cauchemar, je vais me réveiller !

— Calme-toi et explique-moi ce qui s'est passé.

— Ma vie n'est qu'un mensonge. Je sais qui est mon vrai père !

— Calme-toi, Aziliz. Tu parles beaucoup trop vite.

— C'est Isaac !

Sa nouvelle me fait l'effet d'une bombe, je la regarde estomaquer. Soudain, deux yeux noisette sortent de la pénombre et grogne sur moi. Aziliz s'interpose entre le loup géant et moi.

— Laissez-moi tranquille.

Nouveau grognement, vraiment pas commode le loup. Puis il reprend sa forme humaine.

— Je suis désolé, Aziliz. Je ne voulais pas que ça se passe comme ça !

— Je veux oublier tout ça, Samuel Tremblay est mon père et il est décédé il y a presque 1 an. Et vous restez mon professeur de Mythe et légende !

— Maintenant que je t'ai retrouvé, il n'est pas question de te laisser.

Les larmes envahissent complètement le visage de ma future femme, elle devient brûlante et incapable de contrôler ses émotions.

Aziliz

Je suis tellement en colère. En colère après ma mère de m'avoir fait tant de secrets. Après mon père adoptif qui a accepté cette situation, après Marcus qui avant même ma naissance avait déjà bousillé ma vie et après Isaac qui a mis presque une année pour me dire qu'il était mon père biologique. Je sens que je perds le contrôle de mes pouvoirs, mais je n'arrive pas à me calmer, ça tourne dans ma tête et mon cœur me fait tellement souffrir.

— Aziliz, le sang des loups et des sorcières coule en toi. C'est pour cela que quand tu es en colère ou énervée, tu as du mal à contrôler tes pouvoirs.

Je lâche un petit rire.

— Une vraie bête de foire !

— Ne dis pas ça, regarde-toi Aziliz. Tu es plus puissante que nous tous, réunie.

— Je dois reconnaître qu'il a raison, tu es née pour rétablir l'équilibre entre toutes les créatures magiques.

— Mais je veux juste une vie normale moi ! Je n'ai rien demandé de tout ça !

Je sens que mon sang bouille dans mon corps à mesure que je perds le contrôle de mes émotions. Maximilian est même obligé de retirer ses mains de moi et son visage est marqué par l'inquiétude.

— Ma petite louve, il faut que tu te calmes.

— J'aimerais bien, mais je n'y arrive pas. Maximilian, s'il te plaît, va-t'en ! Je ne veux pas te faire de mal.

— Non, je reste avec toi et ce loup !

Ma tête me brûle, c'est horrible. Je porte mes mains sur mes tempes et tombe à genoux.

— Aziliz ! dirent-ils d'une même voix.

Je vois Maximilian sortir les crocs alors que ses prunelles deviennent rouges.

— Je te conseille de ne pas approcher le loup !

— Ça brûle !

— Laisse-moi passer vampire ! Je veux seulement venir en aide à ma fille !

— Je pense que tu as fait assez de dégâts !

— Je peux l'aider, alors laisse-moi passer !

J'ai tellement mal, je ne maîtrise absolument plus rien tellement la douleur est intense.

— Je te jure que si tu tentes quoi que ce soit de bizarre, je te tue en plantant mes crocs en toi sans la moindre hésitation !

Je sens une main se poser sur mon menton pour relever ma tête et deux pupilles noisette plongent dans les miennes. La douleur qui m'envahit s'apaise lentement et disparaît enfin. Je me redresse difficilement, je prends appui contre un arbre. Les deux hommes se regardent en chien de faïence, prêt à se sauter dessus. Je me poste entre les deux.

— Arrêtez ! Vous ne pouvez pas vous faire du mal sans m'en faire aussi !

— Mais Aziliz...

— Je sais, mais c'est mon père, Maximilian !

— Je voudrais te ramener chez moi...

— Compte pas là-dessus, avec mes frères nous la protégeons !

— Avec Marcus, sous votre toit, je ne suis pas sûr !

— Stop ! Je vais rester chez les Mills, ils m'ont toujours protégée.

Isaac me regarde puis il ne rajoute rien, il voit bien que c'est une cause perdue d'avance.

— Je vous confie ma fille, Mills ! Pourrais-je te revoir ?

Je suis perdue, mes yeux passent de Maximilian à Isaac, de Isaac à Maximilian.

— Je ne sais pas... je suis désolée.

Isaac me regarde une dernière fois puis se transforme en loup et disparaît dans la forêt où seul son hurlement brise le silence. Maximilian me regarde avec inquiétude.

— Aziliz...

Je ne lui laisse pas le temps de me questionner que je suis déjà partie, je saute de branche en branche me dirigeant vers le manoir avec une seule idée en tête, me venger.

Aziliz est partie tellement vite, la lueur dans ses yeux ne présage vraiment rien de bon. Je dois la rattraper au plus vite avant qu'elle ne fasse une bêtise. Je fonce aussi vite que possible, mais je vois déjà le manoir au loin apparaître. Quand j'arrive dans le manoir, Aziliz est là, ses prunelles sont encore plus rouge sang que d'ordinaire, ses crocs sont sortis. Je commence à la prendre dans mes bras, sa peau est brûlante.

— Oh papa est venu voir sa fille !

— Je vais vous tuer en vous faisant souffrir !

— Tu crois être prête ?

Aziliz s'est déplacée à une vitesse tellement rapide que personne n'a pu anticiper, elle tient mon père au cou contre le mur.

— Vous disiez ?

— La petite chose est devenue forte !

— Je vous interdis de m'appeler comme ça !

— Trop faible, trop vulnérable !

Aucun de nous n'a envie de réagir, il le mérite tellement et puis cela pourrait soulager enfin Aziliz. Je m'avance vers elle, ses prunelles se posent dans les miennes.

— Laisse-moi t'aider !

— Vous avez ruiné combien de vie en plus des nôtres ?

Elle resserre son étreinte, nous pouvons voir pour la première fois une douleur dans les yeux de notre créateur.

— Seulement vous 6. Les autres, je les ai tous tués comme ta putain de mère sorcière !

Il se met à rire et la colère d'Aziliz monte encore d'un cran, sa respiration devient plus rapide. Une larme coule sur le visage de ma rose des ténèbres.

— Je voulais avant de vous tuer, vous remercier d'une seule et unique chose. C'est de m'avoir envoyé vers la route de Maximilian !

— Crois-moi, que je ne l'avais pas prévu ! Sinon, vous seriez morts tous les deux !

Aziliz plonge son regard dans le mien et en moins d'une seconde mon père a réussi à inverser les rôles. Sa main est posée sur le cou de ma petite rose.

— Je suis désolée, Maximilian !

Je lance un seul regard vers mes frères qui m'ont très bien compris, ensemble nous bondissons sur notre père afin de protéger Aziliz.

— Ne faites pas ça !

Chapitre 15

Aziliz

Je vois les trois frères prêts à mettre leur vie en jeu pour protéger la mienne. Vite, réfléchis, Aziliz. Soudain, mon regard se pose sur le mur face à moi.

— Ne faites pas ça ! hurlais-je.

Grâce à mes pouvoirs, je fais voler l'épée qui se trouve sur le mur, un sourire se dessine sur mon visage et je me transperce l'abdomen. Je ressens une petite douleur quand elle pénètre mon ventre.

— Aziliz !

Les trois frères se sont arrêtés net dans leur élan, pour une fois c'est moi qui vais vous sauver.

— Pardonnez-moi !

Je retire l'épée de mon abdomen et mon sang commence à couler, Marcus me lâche, surpris par ce que j'ai fait et je tombe lourdement sur le sol. Ma tête heurte légèrement le mur, mais je ne lâche pas Marcus des yeux. Son visage a changé, ses crocs sont sortis et ses prunelles rouge sang m'observent.

— Tu es vraiment...

Maximilian a réussi à se faufiler jusqu'à nous et il attrape les deux bras de son père. Andy et Jayden rejoignent mon vampire afin de maintenir Marcus.

— À toi de jouer, ma petite rose !

Il me sourit, soulagé que je n'aie rien. Je me redresse pour faire face à Marcus.

— Je suis votre père, elle n'est rien pour vous !

— Bien au contraire, elle nous a tous sauvés ! Vas-y, Aziliz ! me dit Andy.

— Adieu ! dis-je avec un sourire maléfique.

Aziliz est face à mon créateur puis, à peine sa phrase finie, la tête de mon père vole à l'autre bout du salon alors qu'avec mes frères nous le démembrons.

— Ça, c'est pour ma mère ! dit-elle.

Instantanément, les yeux de ma petite louve reprennent une couleur rouge classique, ses crocs sont rentrés. Elle commence à chanceler légèrement, je me précipite vers elle et elle tombe dans mes bras. Sa blessure saigne abondamment, je la porte jusqu'au canapé alors que mes deux frères brûlent le corps de notre père.

— Maximilian, il faut voir si elle se régénère comme les vampires ou pas, me lance Jayden.

Je soulève légèrement son t-shirt pour voir la plaie qui petit à petit se referme.

— C'est bon, mais elle a perdu beaucoup de sang. Dès son réveil, je l'emmène chasser !

Je caresse sa chevelure, pose mon front contre le sien.

— Merci !

Enfin, nous allons pouvoir retrouver un semblant de vie.

— De quoi parlé, Marcus ? Quand il a dit à Aziliz que son père était venu ? Je croyais qu'il était mort ? me demande subitement Jayden.

Je me tourne vers mes frères, c'est vrai que nous n'avons pas pu parler de ça.

— Aziliz vient de découvrir que son père mort il y a presque un an et bien ce n'était pas son père biologique.

— Tu es sérieux ? lance Andy stupéfait.

— Oui, du coup Connor lui a révélé qu'il connaissait sa mère. Il avait rendez-vous ce soir et la bombe atomique est tombée. Ce loup est le père biologique de ma petite louve !

Mes deux frères sont estomaqués, eux aussi par la nouvelle.

— Aziliz le vit pas très bien, elle pense être une bête de foire. Connor lui a dit qu'elle était née pour rétablir l'équilibre entre les créatures magiques.

— En tout cas, c'est la seule personne que je connaisse qui a réussi à supporter d'être une sorcière, avoir le sang des loups et être un vampire, enchérit Jayden.

— Je pense qu'elle est née pour nous sauver de l'emprise de notre créateur ! Je ne me suis jamais sentie aussi bien que maintenant ! dit Andy.

— J'avoue que de savoir, que plus jamais, il ne nous fera de mal, me soulage.

— Mais il faut que l'on fasse attention, père n'était pas seul ! ajoute Jayden.

— En effet, il était très proche de 3 vampires qui règnent sur le monde magique, nous avertit Juliet.

— Je ne sais pas pourquoi, mais cela sent les embrouillent à plein nez ! dis-je.

— Aziliz les intéresse beaucoup ! répond Juliet.

Ne pourrions-nous juste pas vivre une vie paisible ensemble ? Serons-nous obligés de toujours vivre avec l'angoisse qu'on veuille s'en prendre à ma petite rose ? À toujours regarder derrière nous pour être sûr que personne ne nous attaque ?

— Ne t'en fais pas, Maximilian. Nous serons toujours là pour la protéger, me dit avec réconfort Jayden.

— Et puis même si nous ne sommes pas amis, maintenant elle a les loups pour la protéger aussi ! ajoute Andy.

Mes crocs sont légèrement sortis.

— Je n'ai pas envie qu'elle le revoie !

— Je peux le comprendre, mais malheureusement il reste son père et tôt ou tard, elle voudra le connaître et tu devras l'accepter.

Je sais que Jayden à raison, mais cela me contrarie, car quand Aziliz est avec ce loup, je ne peux être ni à ses côtés, ni voir ce qui se passe grâce à mes pouvoirs.

— Non ! crie ma rose des ténèbres.

Ma petite chose s'est redressée en hurlant, je la prends dans mes bras.

— C'est fini ! Il ne pourra plus jamais rien faire !

Elle resserre son étreinte comme pour être sûre que je suis là, elle pose sa tête contre mon torse alors que mes lèvres se posent sur son front.

— Pourquoi tu t'es infligé ça, ma petite louve ?

— Je savais que tes frères et toi étiez habitués à l'odeur de mon sang, mais Marcus, non et il ne vivait que pour le sang humain.

— Tu savais que cela le déstabiliserait et que nous pourrions passer à l'attaque sans danger ! Tu aurais pu mourir, Aziliz.

— Je voulais vous protéger, c'était ce qui comptait le plus ! Et puis je suis une vampire alors...

— Tu oublies que tu gardes des côtés humains. Tu n'étais pas sûr que la mort n'en fasse pas partie. Il faut que tu comprennes que ma vie sans toi, je n'en veux pas !

Elle baisse la tête.

— Je n'avais pas vu les choses comme cela en effet. Moi non plus je ne peux vivre sans toi, mais Marcus n'aurait pas hésité, je pouvais entendre ce qu'il pensait !

Je la regarde avec surprise, un nouveau pouvoir, après le contrôle des émotions, elle peut comme moi lire dans les pensées.

— Tu peux lire dans les pensées ? la questionnais-je.

— Pour le moment, je pouvais lire que celle de ton créateur. Et j'ai pris conscience que je voulais aussi donner une chance à Isaac.

Je me crispe quand elle me dit cela, tous les muscles de mon corps se tendent et je grince des dents.

— Je suis désolée, Maximilian...

— Ne le soit pas ma rose des ténèbres, je comprends ton besoin de le connaître.

Elle se redresse et pose son front contre le mien alors que ses mains viennent caresser mon dos et remontent vers ma nuque. Ce contact est tellement agréable que je me détends, elle est la seule qui puisse me faire me sentir bien en un rien de temps.

— Merci, mon éternel. Je sais à quel point c'est dur pour toi.

Ses lèvres viennent chercher les miennes avec passion, mes mains remontent le long de son corps et je la serre encore plus contre moi. Je détache ma bouche de la sienne et viens doucement murmurer à son oreille.

— Tu me ferais faire n'importe quoi ! Je suis vraiment fou de toi !

Je sens son corps qui frissonne à cette révélation, son corps devient plus chaud et je décide d'en profiter en mordillant son lobe.

— Je te déteste, Maximilian… sa voix est un murmure à peine audible.

Je me mets à rire à sa remarque et l'embrasse dans le cou.

— Merci, Aziliz. Pour ce que tu as fait ! dit Jayden.

— Tu as rétabli l'équilibre des créatures, finit Andy.

Aziliz sourit faiblement, je peux lire en elle, qu'elle aurait préféré ne pas en arriver là.

— Maintenant, on va chasser, tu as besoin de refaire le sang que tu as perdu.

Nous partons juste elle et moi dans la forêt, jouant et se cherchant comme deux adolescents. Je finis par l'attraper et nous tombons à la renverse dans l'herbe d'une clairière.

— On n'était pas censé chasser ?

Elle se met à rire avant de m'embrasser avec avidité, je réponds à son baiser alors que mes mains se baladent sur son corps, mais soudain, je suis propulsé contre un arbre et une main se porte sur mon cou.

Chapitre 16

Je n'ai pas eu le temps de comprendre ce qui m'arrivait que j'étais dos contre un arbre et une main sur mon cou.

— Lâche-le ! Putain, mais qu'est-ce que tu fous, là ?

Ma petite louve réussit à lui faire lâcher mon cou.

— Ça va, mon éternel ?

— Oui ma rose des ténèbres.

— Ne refais jamais ça ! Tu vas devoir t'habituer, Maximilian est mon âme sœur !

— Aziliz écoute, je... enfin...

— Je suis prête à te donner une chance Isaac. Maximilian ne m'en empêche pas alors que je sais qu'il déteste les loups. Tu vas devoir apprendre à supporter que je sois avec un vampire.

Le loup regarde Aziliz surpris par ce qu'elle vient de dire.

— Tu veux bien qu'on se revoie alors ?

— Oui, quand Marcus a essayé ce soir de nous tuer, j'ai compris que je voulais te laisser une chance. Que je voulais connaître mon vrai père et qu'il m'apprenne à canaliser le sang des loups qui coule en moi !

— Comment ça, Marcus a voulu vous éliminer ?

— Le problème est définitivement réglé. Aziliz lui a arraché la tête !

Je lui lance un regard afin qu'il comprenne qu'il faut que je lui parle d'autre chose, mais seul à seul. Il me fait un léger signe de tête pour me dire qu'il a compris.

— Par contre, on va y aller, Aziliz doit chasser pour refaire le sang qu'elle a perdu pendant le combat avec Marcus !

— Tu es blessée ?

— Non, régénération ! Je n'ai plus rien, mais j'ai perdu beaucoup de sang quand même !

— On peut se voir demain après les cours ?

Aziliz me regarde, même si cela me coûte terriblement, je lui fais un hochement de tête.

— D'accord !

Elle sourit puis commence à partir en rigolant.

— Allez, mon éternel vient prendre une bonne leçon.

Je peux entendre son rire au loin, elle ne doute de rien ma louve.

— Je suis bref, les 3 vampires qui règnent sur le monde en ont après Aziliz grâce à mon père. Malheureusement, nous ne sommes pas en mesure de la protéger correctement, il faut que les loups nous viennent en aide !

— OK, je vais parler à la meute et te tiens informé. Je te jure que s'il arrive quoi que ce soit à Aziliz, traité de paix ou pas, je te tue !

— On est d'accord, s'il arrive quoi que ce soit à ma petite rose quand elle est avec toi. Je te tuerais sans la moindre hésitation !

Et à mon tour, je fonce dans la forêt afin de rattraper Aziliz quand je la rejoins, ma petite louve a déjà les crocs plantés dans une biche et boit le sang de l'animal. Je la regarde faire, je la trouve tellement belle et dire que bientôt elle sera ma femme, cela me fait sourire.

Le lendemain, je suis rentré seul au manoir après les cours, je m'occupe de Jenny afin de ne pas devenir fou. Je ne sais absolument pas si Aziliz est en sécurité avec Connor.

— Maximilian !

— Pardon, petite sœur.

J'essaie de rester concentrer sur Jenny, mais rien à faire, je suis tellement inquiet pour Aziliz.

— Maximilian, tu n'es pas gentil !

Jenny se met à pleurer, je la prends dans mes bras.

— Je suis désolé, Jenny. Mais, je suis inquiet pour Aziliz !

— Pourquoi ?

— Car je suis très amoureux d'elle, et que quand je ne suis pas à ses côtés, je suis inquiet qui lui arrive quelque chose de malheureux !

Je dépose un baiser dans sa chevelure, elle quitte mes bras puis revient avec une poupée qu'elle me donne.

— Tiens, je te la donne, comme ça tu pourras toujours veiller sur Aziliz.

Elle me tend une poupée qui représente Aziliz, que ma louve lui a faite. Cela me fait sourire.

— Merci Jenny !

Aziliz

J'ai retrouvé Isaac après les cours, il m'emmène vers son appartement. Quand je rentre, je souris. La déco est plutôt simple, à l'image de mon professeur.

— Tu veux boire quelque chose ?

— Non merci.

Je me sens tellement mal à l'aise que je joue nerveusement avec mes doigts et je pense à mon éternel, j'espère que tout va bien.

— Aziliz, s'il te plaît, assois-toi, et reste calme. Promis, je ne te ferais rien, je veux juste apprendre à connaître ma fille.

Je lui souris avant de m'asseoir à ses côtés. Je suis stupéfaite par la jeunesse de son visage, maman avait un peu vieilli même si elle faisait beaucoup moins que son âge.

— Dis-moi, les loups ne vieillissent pas non plus ?

— Nous vieillissons en effet beaucoup plus lentement, les sorcières aussi vieillissent moins vite.

— Oui, maman avait 42 ans et elle en paraissait 30 ans.

— Et toi, tu auras éternellement 21 ans. Tu lui ressembles tellement.

Mon regard se pose un peu partout dans la pièce, il y a des photos de maman et de moi quand j'étais plus jeune. Puis soudain, je vois une guitare dans un coin de la pièce, je me lève et effleure les cordes.

— Tu sais jouer ?

— Oui, j'adore ça. Maintenant, je sais de qui me vient cette passion.

Il me tend la guitare, que je prends et commence à jouer. Mes doigts dansent sur les cordes.

— Impressionnant !

Je souris puis repose la guitare, j'ai encore du mal à croire qu'il est mon père.

— Il faut que je t'emmène voir la meute, ils sont tellement impatients de te voir.

Il prend ma main, puis nous quittons l'appartement en direction de la forêt. Depuis que Maximilian m'a transformé, il est relié à mes pensées donc il sera que le programme à changer. Je suis Isaac dans la forêt, mais sur un territoire quelque peu différent du nôtre. Nous arrivons dans une grande clairière, je me retrouve rapidement entourée par une meute de loups géants.

— Je vous présente ma fille, Aziliz !

— Alors c'est elle, la sorcière au sang de loup et devenu vampire, dit l'un des loups.

— Comme elle est belle !

J'arrive à entendre leur pensée, comme si j'étais liée à eux, je regarde mon père, interrogative.

— Vu que tu as du sang de loup, tes pensées sont connectées directement aux nôtres et c'est pour ça que tu les entends.

— C'est incroyable !

Je ne sais pas combien de temps j'ai passé avec la meute, mais le soleil commence à se coucher. J'ai passé un excellent moment parmi les loups. Isaac me raccompagne en voiture jusqu'au manoir des Mills.

— Merci, j'ai passé un bon moment.

Soudain, je vois Jayden arriver vers moi.

— Aziliz, tu vas bien ?

— Oui, ça va ! Qu'est-ce qui se passe, Jayden ?

— *Maximilian a voulu voir, si tout allait bien, sauf que tu n'étais plus là. Il est devenu fou, il était prêt à violer, le traiter que nous avons avec les loups pour aller te chercher, mais par chance Andy a pu le stopper à temps.*

— *Depuis que Maximilian m'a transformé, il peut voir mes pensées alors pourquoi n'a-t-il pas vu que je me rendais sur le territoire des loups ?*

Un bruit sourd me fait tourner la tête, j'aperçois Maximilian sur le toit de la voiture. Il est encore plus pâle, ses yeux d'ordinaire ambre sont noirs.

— *Si je n'ai rien vu, c'est que les loups m'empêchent de voir quoi que ce soit !*

Je me tourne vers Isaac.

— *EST-CE QUE TU LE SAVAIS ?*

— *Oui, je le savais.*

— *Ne me force pas à choisir, car si, je dois le faire ! Maximilian gagnera largement devant toi !*

Je m'avance vers Maximilian qui me prend contre lui, je resserre mon étreinte.

— *Je suis désolée, mon éternel.*

— *Je suis content que tu n'aies rien, ma rose des ténèbres.*

Maximilian m'embrasse avec avidité, comme si j'étais partie depuis des mois. J'entends les pensées de mon père qui meurt d'envie de coller son poing dans la figure de Maximilian.

— *Je vais vous laisser. Aziliz, on se voit bientôt ?*

— *Oui, on voit ça.*

Isaac

Il me cherche le vampire, j'aimerais bien lui mettre mon poing dans sa figure, mais Aziliz risque de mal le prendre. Elle l'aime et m'a clairement dit qu'il passait avant moi, je comprends même si cela est douloureux.

— *Je vais vous laisser. Aziliz, on se voit bientôt ?*

— *Oui, on voit ça.*

Elle me sourit puis je monte à nouveau dans ma voiture, direction mon appart. Une fois sur place, j'ai besoin d'évacuer cette tension, je me transforme en loup et part en direction de la forêt et retrouve la meute.

— Ta fille ressemble terriblement à Katie ! me dit une louve.

— Ne m'en parle pas, il n'y a pas que sur le physique. Elle a aussi hérité du caractère.

— Par contre, tu savais qu'elle était enceinte ?

— Pardon ?

— Nous l'avons senti dès qu'elle est arrivée.

— Mais, il me semblait que les vampires ne pouvaient pas avoir d'enfants ?

— Et c'est vrai, mais...

— Aziliz reste en partie humaine et dans de rares cas, un vampire et une humaine peuvent avoir un enfant. Fais chier !

Je hais ce vampire, c'est officiel, mais surtout comment je vais annoncer la nouvelle à ma fille ?

Chapitre 17

Un mois venait de s'écouler depuis, Aziliz avait revu Connor à plusieurs reprises et ils commençaient réellement à agir comme père et fille, ce qui me tape de plus en plus sur le système. Ce qui avait changé, c'est qu'Aziliz avait besoin de chasser plus, ses yeux reprenaient doucement leur teinte saphir. Et doucement, nous organisons notre mariage pour la fin de l'année prochaine. Dans un an, elle sera ma femme pour l'éternité.

Andy, quant à lui, il s'est enfin décidé et il passe de bons moments avec Juliet. Je suis heureux pour eux, car bien malgré moi, je les ai fait souffrir.

Le jour se lève petit à petit, Aziliz dort paisiblement sur moi, sa jambe par-dessus la mienne, son petit ventre plat contre mon bassin et sa tête au creux de mon bras. Je caresse sa chevelure bleu nuit, ma main glisse sur ses formes généreuses pour atteindre la naissance de ses fesses.

— Hmm... Bonjour à toi aussi, Maximilian.

Elle se redresse en me souriant et attrape ma lèvre inférieure entre ses dents. Je la fais basculer sur moi, me laissant le loisir de pouvoir la détailler dans son intégralité et dans le plus simple appareil.

— Tu n'es jamais rassasié, mon éternel !

— Avec toi, jamais ! Et maintenant, j'ai l'éternité devant moi pour te goûter un peu plus chaque jour.

Le rouge monte sur ses joues, elle baisse le regard gêné et cela me fait rire, puis elle me donne un coup sur l'épaule. Je me redresse et viens à la rencontre de ses lèvres, ma langue brise la barrière de sa bouche et vient danser sensuellement avec la sienne. Alors que j'allais me fondre en elle, la poignée de la porte fait un bruit, et heureusement que nous avions pensé à la fermer à clé. La voix de Jenny se fait entendre.

— Jenny va voir Jayden, s'il te plaît.

Je grogne cette phrase.

— Mais je ne veux pas, c'est Aziliz qui m'a promis…

— J'arrive, tu me laisses juste le temps de prendre une douche et je tiens ma promesse de m'occuper de toi.

— D'accord, je t'attends dans ma chambre.

Et elle repart en chantonnant, heureuse.

— Pourquoi autant de cruauté, tu me détestes à ce point ?

Aziliz se met à rire, ce rire qui illumine son visage et que j'affectionne tant.

— Non, je t'aime, mais comme ça le désir n'en sera que plus plaisant quand nous nous retrouverons !

Elle m'embrasse avant de se diriger vers la salle de bain complètement nue.

— Tu es vraiment trop sexy, cela devrait être interdit !

Aziliz se met à rire à ma remarque.

— J'ai été créée pour te faire succomber à mon charme mon vampire !

Je me lève à mon tour puis la rejoins dans la salle de bain, je passe mes mains sous ses cuisses et la soulève afin qu'elle entoure ma taille de ses jambes. Mes lèvres viennent butiner les siennes, elles se cherchent, jouent et se cajolent.

— Maximilian… je vais être… en retard… pour Jenny…

— Tu aurais… dû y… réfléchir avant… ma petite louve…

J'accentue mes mouvements de bassin alors que ma rose des ténèbres ondule des hanches en murmurant mon nom au creux de mon oreille. Ses doigts se plantent dans mes hanches et son corps se cambre alors qu'elle fait tout pour retenir ses gémissements. Nos mouvements deviennent plus rapides et maintenant c'est moi qui murmure son nom alors que la jouissance nous gagne en même temps. Nous restons un peu dans cette position, afin de reprendre notre souffle. Quelques minutes plus tard, Aziliz quitte la chambre pour aller jouer avec Jenny. Malgré que ce soit rapide, ce moment intime avec ma petite louve fut des plus agréables. Je finis de me préparer avant de descendre, Jayden est dans le salon en train de travailler.

— Salut !

— Salut ! Où est Aziliz ?

— Avec Jenny !

Jayden me regarde en souriant.

— Oui, j'ai compris Maximilian, mais Jenny s'entend vraiment bien avec Aziliz et je ne veux pas briser cela pour le moment. Dans un an, vous vous marierez et, sûrement, aurez l'envie de vivre juste tous les deux.

— Mais, je ne veux pas moi...

Nous n'avions pas vu que Jenny était arrivée, et à sa suite Aziliz, qui la regarde en souriant avant de se mettre à sa hauteur.

— Ne t'en fais pas, Jenny. On n'en a pas encore parlé. Et même si cela arrive, nous habiterons Mystic Angel et donc tu pourras venir aussi souvent que tu le voudras.

Jenny sourit, heureuse avant de se jeter dans les bras de la jeune femme, puis elle vient vers mon frère qui la prend sur ses genoux.

— Je vais prendre mon petit déjeuner, puis nous irons en ville toutes les deux, Jenny.

— Oui, j'ai hâte.

Ma petite rose sourit puis quitte la pièce pour se diriger vers la cuisine. Jayden me fait un signe de tête vers la porte afin que je suive Aziliz et je l'en remercie silencieusement. Ma petite femme est de dos, je la prends dans mes bras et dépose un baiser dans son cou.

— Hum...

— Qu'est-ce que ma rose des ténèbres va faire en ville ?

— J'emmène Jenny faire les boutiques.

Je continue de parsemer sa peau nue de mes baisers papillons, qui la font frémir.

— Tu y vas à pied ?

— Hmm... Oui.

— Prends ma voiture alors.

Elle semble surprise, car elle s'arrête de faire son petit déjeuner, mais soudain, elle se défait de mon étreinte et se met à courir.

— Aziliz, ça va ?

Elle se dirige vers sa chambre puis dans sa salle de bain et ferme la porte avant que je n'arrive.

Aziliz

Une fois dans les toilettes, j'ai vomi de la bile évidemment vu que je n'ai pas encore mangé. Je me redresse quand mon regard tombe sur ma boîte de tampons, je fronce les sourcils et me rappelle que cela fait un mois et demi que je n'ai pas eu mes règles.

— Aziliz, ça va ? Je peux entrer ?

Je sursaute, avant de reposer la boîte que j'ai entre les mains, je tire la chasse d'eau et sors ma brosse à dents.

— Oui entre mon éternel.

Je me lave les dents alors que Maximilian apparaît, le visage inquiet.

— Tu es malade ?

— Non, juste quelque chose qui n'est pas bien passé. Ça va mieux déjà.

Je lui souris alors que je repose ma brosse à dents, Maximilian me prend dans ses bras pendant que je prends mon sac. Il me tend les clés de sa voiture puis nous redescendons vers le salon.

— Je suis désolé, mais une amie de Jenny vient d'appeler pour qu'elle passe la journée ensemble.

— Pas de soucis, je la dépose chez son amie. J'irais voir mon père en attendant Jenny.

— Ça, c'est super gentil, j'ai encore beaucoup de travail sinon je m'en serais occupé.

— Je te dis que cela ne me dérange pas. Travail tranquillement.

Maximilian lui par contre n'est pas très content sûrement à cause de ma visite à mon père.

— Maximilian, détends-toi, tu veux venir avec moi ?

Il me lance un regard qui veut dire « tu te fous de moi ? », mais je lui souris en réponse.

— Je suis sérieuse Maximilian, il va falloir que vous vous entendiez tôt ou tard.

— Hum, on verra ça plus tard. Sois très prudente.

— Promis, j'ai mon portable. Comme ça, je pourrais te rassurer. Je t'aime, Maximilian !

Il vient m'embrasser avec passion puis Jenny arrive joyeusement.

— Je suis prête.

— Tu es très jolie. À tout à l'heure.

Je prends la main de Jenny puis nous nous dirigeons vers la voiture de mon futur mari, j'installe Jenny et je m'installe au volant. Je démarre le moteur puis nous partons vers la maison de l'amie de Jenny. Une fois Jenny déposée, je vais dans une pharmacie et achète ce qu'il me faut. Je remonte dans la voiture et me dirige vers chez mon père, mais alors que je descends la rue, on me grille une priorité, je perds le contrôle et je fais plusieurs tonneaux avant de perdre connaissance.

Chapitre 18

Je suis au manoir posé avec mes frères et Juliet quand mon portable sonne.

— Allô

— Mr Mills ?

— Lui-même.

— Nous avons retrouvé votre voiture…

— Ma femme ?

— Elle est au bloc opératoire…

— J'arrive !

Je raccroche mon téléphone.

— Jayden, tu vas devoir aller chercher Jenny. Andy, donne-moi tes clés !

— Qu'est-ce qui se passe Maximilian ?

— Aziliz est au bloc opératoire, elle a eu un accident avec ma voiture !

— On te rejoint ! dit Jayden.

Andy me tend ses clés que déjà, je suis à la voiture, je démarre en trombe et me dirige vers l'hôpital de Mystic Angel. En chemin, j'ai pris mon courage à deux mains et j'ai appelé Connor pour lui dire qu'Aziliz était à l'hôpital. Je me gare et me rends dans l'enceinte du bâtiment, à l'accueil où on m'indique le bloc opératoire. Quand j'arrive, un médecin m'attend.

— Comment va-t-elle, docteur ?

— Votre femme à faire plusieurs tonneaux avec le véhicule, elle a de la chance d'être toujours en vie. Nous sommes en train de stopper l'hémorragie, car le volant lui a écrasé la cage thoracique, mais ce qui nous inquiète, c'est le bébé.

Je suis au bout du gouffre quand le médecin me raconte tout cela et quand il prononce le mot bébé, je suis juste sous le choc.

— Pardon ? Ma femme est enceinte ?

— En effet, c'est récent. Elle est enceinte d'un mois et demi. Je vais aller voir et reviens vers vous.

Le médecin me laisse seul, je réalise seulement ce qu'il vient de dire, je vais être papa. Aziliz attend un petit bout de moi avec beaucoup d'elle. Je m'assois, car je sens un mélange d'angoisse, de peur, d'inquiétude, mais surtout de bonheur m'envahir en même temps.

Mes frères m'ont rejoint à l'hôpital, Jenny est restée avec Juliet au manoir.

— Alors ? me questionne Jayden.

— Comment va notre sœur ?

— Le médecin m'a dit que c'était un miracle qu'elle soit en vie. Le volant lui a écrasé la cage thoracique et du coup ils essayaient de stopper l'hémorragie. Mais ce qui lui fait peur c'est parce que Aziliz attend un bébé.

Comme moi, mes frères sont surpris avant de me prendre dans leur bras.

— Un ou une petit Mills, c'est mignon, me lance Andy.

— Mais, il me semblait qu'entre vampires, on ne pouvait pas avoir d'enfant, alors comment ?

— C'est vrai, Andy et Juliet ne pourront pas avoir de descendance directe, mais Aziliz reste humaine malgré qu'elle soit vampire et dans de très rares cas, on a déjà vu une humaine attendre l'enfant d'un vampire.

— Pourtant la prophétie parle de la descendance du vampire et de la louve !

Avec mes frères, nous sursautons, puis je vois Connor arriver vers nous.

— Comment va ma fille ?

— J'attends des nouvelles du médecin. Elle est au bloc suite à une hémorragie. Tu ne sembles pas surpris par la nouvelle de sa grossesse.

— Les louves, l'on sentit quand Aziliz est venue. Elles me l'ont avoué plus tard et je ne savais pas comment lui dire.

— Vous le saviez depuis 1 mois ?

Connor me regarde, je vois qu'il est mal à l'aise et après tout, je peux le comprendre, c'est délicat d'annoncer à sa fille une nouvelle aussi importante. Le médecin revient vers nous.

— *Votre femme est stabilisée. Nous avons pu stopper l'hémorragie et le bébé va bien. Maintenant, c'est à elle de se battre pour vivre.*

— Je peux la voir ?

— Bien sûr, pas plus d'une personne à la fois !

Il nous accompagne jusqu'à la chambre d'Aziliz, je rentre le premier. Elle a des contusions un peu partout sur le corps, le choc a vraiment dû être violent. Je m'avance vers ma rose des ténèbres, dépose un baiser dans sa chevelure et prends sa main dans la mienne.

— Il faut que tu te battes, ma petite louve !

Je sens une larme couler le long de mon visage et venir s'écraser sur le visage de ma douce Aziliz.

— Est-ce qu'un jour, nous pourrons vivre sans drame ?

Je dépose un nouveau baiser, puis je laisse la place à Isaac.

— Est-ce que vous savez quelque chose sur le chauffeur ?

— Non, mais tu ne devrais pas y aller... me dit Andy.

— Elle a vraiment eu de la chance même pour un vampire ! enchérit Jayden.

— Il faut que j'aille voir, je vous la confie. Vous m'appelez, s'il y a quoi que ce soit.

Et je quitte l'hôpital en me rendant sur les lieux de l'accident, quand j'arrive je vois ma voiture dans le fossé plus bas. Celle-ci est complètement pliée, Aziliz a vraiment eu une chance extraordinaire.

Mais qui pouvais en vouloir ainsi à ma femme, la voiture qui l'a percuté est beaucoup moins abîmée. Le chauffeur a pu s'en sortir et fuir, laissant ma femme agonisante. Je sens la colère m'envahir, mes crocs sortent et mes prunelles prennent leur teinte rougeâtre. J'inspecte la voiture, mais aucune trace, aucune odeur, pas de sang en dehors de celui de ma femme. Je commence à me demander si ce n'est pas les 3 amis de mon père qui en sentant qu'Aziliz devenait une menace, se sont dit qu'il était temps de l'éliminer. Je me dirige de nouveau vers l'hôpital pour prévenir mes frères.

— Maximilian, j'allais t'appeler.

Il y a du mouvement dans la chambre de ma petite louve, j'entends les appareils qui la contrôlent s'affoler et je comprends qu'il se passe quelque chose de grave.

— AZILIZ !

C'est Jayden qui me stoppe avant que je ne rentre dans la chambre.

— Je suis désolé, Maximilian !

— Non ! AZILIZ ! dis-je avec désarroi.

Vais-je vraiment perdre le seul amour de ma vie ? Je ne veux pas y croire, Aziliz est une battante et elle ne peut pas me laisser. Je peux entendre la machine qui surveille son cœur faire un bruit insupportable alors que les médecins font tout leur possible pour la réanimer. Je me laisse complètement envahir par la peine, mon frère me soutient du mieux qu'il peut.

— Je sais qu'Aziliz tient trop à toi pour nous quitter.

C'est un murmure à mon intention, mon frère veut me rassurer. Le défibrillateur continue d'être posé sur sa poitrine et de la choquer, mais pour le moment son cœur refuse de repartir. Est-ce vraiment la fin cette fois ?

Chapitre 19

Les secondes semblent durer des minutes et les minutes durer des heures, alors qu'ils font tout pour ramener ma rose. Je ne veux pas que cela se termine, je veux pouvoir vivre l'éternité avec Aziliz. Mais pour le moment, le seul son que j'entends est celui de la mort.

— AZILIZ ! NE ME LAISSE PAS !

Mes mots sont toute la souffrance qui m'habite à cet instant, mon frère fait tout pour me retenir et il fait de son mieux pour me calmer.

— Maximilian, je comprends ta douleur, mais il faut que tu te calmes. Tu mets la famille en danger ! me dit Jayden.

— Aziliz fait partie de cette famille…

— Depuis le premier jour, mais nous ne pouvons plus rien faire pour elle, malheureusement. C'est à elle de s'accrocher à la vie !

— Ce n'est pas juste, je serais prêt à être damné une deuxième fois, si cela me permet de la sauver !

— Je sais, Max.

Le son de l'appareil qui mesure son cœur sonne toujours plat, alors que les médecins décident de tout arrêter, prêts à déclarer son décès. Je n'arrive pas à croire que cela se termine ainsi. Puis comme par magie, la machine émet de nouveau un son. Le son d'un cœur qui se remet à battre, et je sens un immense soulagement me gagner, je savais qu'Aziliz se battrait jusqu'au bout. Jayden relâche son emprise sur moi, je me dirige vers la chambre de ma petite femme. J'attends dans l'encadrement de la porte en regardant le cœur d'Aziliz qui bat de nouveau régulièrement. Les médecins me font signe que je peux venir, je prends sa main dans la mienne et j'effleure ses lèvres des miennes.

— Ne me refais jamais ça, ma rose. Je ne peux pas vivre sans toi.

Ses mots sont juste un murmure pour ma douce Aziliz, je ne pensais pas que l'on puisse aimer une femme à ce point, mais pour elle je serais prêt à soulever des montagnes.

Une semaine et demie avait passé depuis l'accident, je n'ai pratiquement pas quitté le chevet de ma louve. Elle n'a toujours pas repris conscience, les médecins disent qu'avec la commotion cérébrale cela peut mettre plus de temps. Une main se pose sur mon épaule, je tourne mon visage vers la personne qui vient d'arriver.

— Salut, Jayden !

— Je suis venu prendre le relais pour que tu puisses aller chasser. Comment va-t-elle ?

— Toujours rien. Mais, elle n'a pas refait d'arrêt cardiaque. C'est déjà bien.

— Allez, va chasser. Je te promets de veiller sur elle. Son père est dehors avec la meute pour surveiller aussi. Personne ne pourra l'approcher.

— Ça va, je t'assure. Je préfère rester là.

— Max, tu as besoin de chasser. Tes yeux deviennent plus facilement rouges et ton teint est encore plus blanc que cette chambre.

— C'est bon, j'y vais ! dis-je en ronchonnant.

Je m'avance vers ma sorcière, dépose un baiser sur son front et lui murmure doucement.

— Je m'absente juste une petite heure pour chasser. Je t'aime, ma rose des ténèbres !

Jayden prend ma place et je quitte la chambre à contrecœur pour aller me nourrir. Andy m'attend déjà dehors.

— Alors ?

— Toujours rien de nouveau. On peut faire vite, s'il te plaît ?

— Oui, je me doute que c'est Jayden qui t'a viré à coup de pied de la chambre d'Aziliz.

Nous rigolons avec mon frère puis je le suis dans la forêt en quête de mon repas.

Quand je suis revenu à l'hôpital, j'ai meilleure mine et mes prunelles reprennent leur couleur ambre. Jayden s'est allongé près de ma sorcière, il caresse les cheveux d'Aziliz, tout en lui racontant les dernières nouvelles. Je le regarde faire en souriant, depuis le début mon frère a pris Aziliz sous son aile comme un grand frère le ferait avec sa sœur. Ils ont toujours eu ce lien particulier, elle nous a tous charmés de façons différentes et nous l'aimons tous plus que notre propre vie.

— Et puis il faut que tu te réveilles, Aziliz. Tu nous manques à tous, mais encore plus particulièrement à ton petit vampire. Il n'a pas quitté ton chevet, j'ai dû faire le grand frère casse-pied afin qu'il aille chasser et reprenne des forces. Tu sais qu'il serait prêt à être damné une deuxième fois juste pour toi ? Tu lui as fait reprendre goût à une vie qu'il n'espérait plus.

Je me racle la gorge afin que mon frère puisse se rendre compte de ma présence. Il se redresse et s'avance vers moi.

— Tu as meilleure mine. Prends soin d'elle et tu me tiens informer.

— Merci pour tout. Tu as raison, cela m'a fait du bien d'aller chasser. Embrasse Jenny pour moi.

Je prends la place de mon frère, sauf que moi je pose ma tête sur la poitrine d'Aziliz. Je peux entendre son cœur battre régulièrement, et sa respiration apaisée. Je finis par m'endormir tellement je suis bercé par le son régulier de son cœur. Alors que je sombre dans un sommeil profond, je vois Aziliz apparaître.

— Aziliz ?

— Bonjour, mon éternel. Il faut que tu me viennes en aide.

Elle avance vers moi, pose sa main sur mon visage et le caresse de son pouce. Elle passe ensuite celui-ci sur mes lèvres alors qu'elle mord la sienne. Mais alors que j'allais poser mes lèvres sur les siennes, je suis réveillé. Aziliz vient de reprendre conscience en sursautant. Sa respiration est rapide, comme si elle manquait d'air depuis une éternité. Je la prends contre moi, je n'en reviens pas, qu'elle soit là bien vivante.

— Oh, Aziliz, j'ai eu si peur !

Aziliz

J'entends des voix tout autour de moi, je me souviens de l'accident si violent. Suis-je morte ? Non ! Je peux entendre les appareils de mesure, alors pourquoi mon corps refuse-t-il de me répondre ? Je voudrais tellement ouvrir les yeux, me réveiller de ce cauchemar, mais au lieu de ça, je suis complètement bloquée dans mon corps. Je sens une tête venir se poser sur ma poitrine, doucement je sens son corps peser sur le mien à mesure qu'il sombre dans un sommeil. Je ne sais pas comment cela se produit, mais enfin, je prends le contrôle de mon corps et quand je maîtrise parfaitement celui-ci. Je me réveille avec la sensation de manquer cruellement d'air, comme si j'avais oublié de respirer jusque-là. Soudain, je sens des bras me prendre contre eux, avec une telle force.

— Oh, Aziliz, j'ai eu si peur !

J'ai un mouvement de recul.

— Mais qui est vous ?

Son visage se décompose quand je pose ma question, cela veut sûrement dire que je le connais, mais je ne me souviens absolument de rien. Seulement de ma voiture qui fait des tonneaux avant d'être stoppée net dans le fossé, papa est mort sur le coup. Maman respire encore, mais j'ai dû mal à rester consciente.

— Tu ne te souviens de rien ?

— Seulement de l'accident de voiture avec mes parents !

Il ne dit rien et quitte la chambre. Que se passe-t-il ? Je reste là, assise sur ce lit d'hôpital me demandant qui est ce jeune homme blond aux yeux ambrés. Mon corps a réagi quand il m'a pris dans ses bras donc cela veut dire que nous sommes proches, mais je ne me souviens absolument de rien. Je sens mon cœur qui s'accélère, je sens une chaleur m'envahir et me brûler la tête quand les lumières explosent.

Que se passe-t-il encore ? Le jeune homme aux cheveux blancs revient.

— Aziliz, tu dois te calmer.

Sa voix résonne doucement et me fait vibrer entièrement m'aidant à faire retomber la chaleur qui m'a envahi quelques secondes auparavant. Je le vois sourire, mais un médecin brise ce contact en entrant dans la pièce.

Le médecin examine ma petite louve. Je suis inquiet, car elle a oublié qui j'étais. Après une batterie d'examens, le médecin m'invite à sortir et je le suis.

— Votre femme suite à sa commotion revit son accident avec ses parents. Sa vie à Mystic Angel n'existe pas encore.

— Vous voulez dire que son dernier souvenir remonte à il y a plus d'un an, maintenant ?

— En effet, vous allez devoir lui faire retrouver doucement la mémoire.

Me revoilà parti un an en arrière. À l'époque, je ne savais pas que je serais amoureux à ce point de cette petite louve qui venait d'arriver à notre manoir pour être la baby-sitter de notre petite sœur.

Chapitre 20

J'ai prévenu mes frères qu'Aziliz venait de reprendre conscience et ils sont arrivés à peine le téléphone raccroché.

— On peut la voir ? demande Andy.

— Cela ne servirait à rien, Aziliz ne se souvient pas de nous. Elle revit l'accident avec ses parents.

— Tu veux dire qu'elle a oublié toute sa vie à Mystic Angel, c'est un gros problème ça, s'inquiète Jayden.

— En effet, cela fait presque 15 jours qu'elle n'a pas chassé. Bientôt, elle verra son ventre s'arrondir, elle est incapable de gérer ses pouvoirs, car elle ne sait pas.

— Nous devons la ramener au plus vite au manoir, d'ici nous pourrons mieux la gérer et puis cela fera remonter ses souvenirs, dit Jayden.

Je pose ma tête contre le mur, je me sens si impuissant et je dois faire vite pour qu'Aziliz retrouve la mémoire.

— Pourquoi ne pouvons-nous pas juste vivre notre amour ? En presque un an, on aura eu que des emmerdes ! Nous sommes maudits, je ne vois que ça ! soupiré-je.

— Oui, mais regarde chaque épreuve que vous traversez, consolide votre amour, un peu plus, me console Andy.

— Je n'avais jamais vu cela Max, vos cœurs battent à l'unisson et ne font qu'un.

Il me remonte le moral, cela me fait sourire. Il est vrai qu'Aziliz est ma moitié, je ne peux vivre sans elle et elle ne peut vivre sans moi.

Elle semble tellement perdue, a-t-elle vraiment vécu cela après la mort de ses parents ? Sa peine m'envahit. Elle souffre, mais ne montre rien sauf quelques larmes qui s'échappent de ses magnifiques yeux saphir et je peux les sentir qui coulent sur mon visage.

— Je sens sa peur, ses angoisses et sa tristesse, mais regarde, toi, tu l'es vis complètement, me dit Andy.

— Je me sens tellement impuissant, que dois-je faire ? Elle ne sait plus qui je suis.

— Il faut que tu la fasses retomber amoureuse. Comme ça, les souvenirs lui reviendront petit à petit, me conseille Jayden.

— Je vais voir les médecins pour savoir quand elle peut sortir.

Je me dirige vers le médecin qui a examiné Aziliz un peu plus tôt.

— Quand puis-je ramener ma femme chez nous ?

— Si tout va bien cette nuit, demain vous pourrez la ramener, Monsieur Mills.

— Merci, docteur.

Je me dirige vers mes frères de nouveau, puis je les invite à me suivre dans la chambre.

— Aziliz, j'ai pu parler avec le médecin, tu vas rester ici cette nuit et si tout va bien demain, nous rentrons.

— Où sont mes parents ?

— Je suis désolé, Aziliz… dis-je la gorge légèrement nouée.

— J'ai compris, me répond-elle.

Sa voix se brise, je m'avance vers elle et la prend contre moi afin de calmer sa peine. Elle se laisse faire docilement, mes doigts caressent ses cheveux.

— Je suis vraiment désolé.

Elle relève ses magnifiques yeux saphir vers moi, je sèche avec mon pouce les larmes qui coulent le long de ses joues et laisse un soupir de bien-être sortir de sa bouche. Je plonge mes prunelles d'ambres dans ses yeux et je pose mon front contre le sien.

— Je serai toujours là, Aziliz !

Je dépose un baiser sur son front, alors que je retiens mes propres larmes. Je reprends mes distances et Jayden prend ma place, il pose sa main sur celle d'Aziliz. Je vois ma louve qui se perd dans les yeux de mon frère comme si un souvenir lui revenait. Jayden lui sourit et dépose un baiser sur son front, ce qui fait réagir de nouveau ma petite rose.

— Je reviens, je resterais près de toi cette nuit.

— Vous n'êtes pas…

— J'insiste, petite chose !

Ses yeux partent quelques secondes dans le vague puis elle me regarde et me sourit. Je lui rends puis j'accompagne mes frères jusqu'à l'extérieur.

— Tu as remarquais ? me demande Jayden.

— Oui, son corps essaie de lui envoyer des souvenirs.

— Il nous reste plus qu'à lui faire revivre sa vie avec nous, dit Andy.

— Oui, c'est ça l'idée. Sinon je vais aller dire au loup que sa fille est réveillée, mais qu'elle ne se souvient pas de lui non plus !

Mes frères me jettent un regard compatissant et ils s'éclipsent dans la forêt. Je me dirige vers la meute de loups, espérant qu'ils ne me feront aucun mal. Quand j'arrive, Isaac me reconnaît et reprend sa forme humaine alors que les autres restent légèrement en retrait, mais en montrant les crocs quand même.

— Comment va ma fille ?

J'inspire profondément pour me donner du courage.

— Elle vient de se réveiller.

— Je vais aller la voir !

— Je suis désolé, mais Aziliz ne se souvient pas de nous, elle revit son accident avec ses parents. Et à oublier sa vie à Mystic Angel.

— Je viens de la retrouver, pour mieux la perdre.

— Oui, je sais, cela fait 8 mois que nous sommes ensemble et j'ai perdu Aziliz, 3 fois déjà ! Je ramène ma louve au manoir demain si tout va bien et je vais tout faire pour qu'elle retrouve au plus vite la mémoire.

— Nous monterons la garde autour du manoir si vous nous donnez votre accord.

— Évidemment, que vous l'avez, il est question de la vie d'Aziliz. Rien n'est plus important que sa vie à mes yeux !

Je me dirige à nouveau vers l'hôpital, puis monte vers la chambre de ma rose des ténèbres. Je toque doucement, elle tourne le visage vers moi et m'invite à entrer.

— Je peux ? demandé-je en tapotant la place sur le lit, elle sourit.

— Bien sûr !

Je prends place, sa main vient se poser sur la mienne et elle ferme les yeux à ce contact. Je sens tous les sentiments qui la traversent, la joie, la peine, l'angoisse, la peur et la colère. Je passe mon bras autour de ses épaules et instinctivement sa tête se pose au creux de mon cou. Je sens son esprit s'apaiser alors que ma tête se pose sur la sienne, un petit soupir de bien-être s'échappe et je frémis à ce contact.

Nous finissons par nous endormis enlacés comme si Aziliz n'avait pas perdu ses souvenirs.

Le lendemain, après avoir eu l'autorisation des médecins, je ramène ma douce Aziliz au manoir. Une fois dans la cour de celui-ci, je vois que des souvenirs remontent, c'était il y a presque 1 an maintenant.

— Que vient faire une petite chose par ici ?

Elle me regarde, ma phrase lui rappelle des souvenirs.

— Besoin de changement !

Je me mets à sourire afin de prendre sa valise alors qu'elle monte les marches du porche. Quand elle arrive devant la grande porte, Jayden l'attend.

— Bonjour, Aziliz, je suis Jayden…

— Mills !

Mon frère lui sourit, alors que Jenny restée en retrait se place à côté de Jayden.

— Je te présente Jenny.

— Bonjour, Jenny, je suis Aziliz.

— Bonjour Aziliz !

Aziliz regarde Jenny qui semble triste, elle s'approche de notre petite sœur.

— Je suis désolée, mais vous allez m'aider à retrouver la mémoire. J'ai déjà de petits flashs de mon arrivée ici.

Jenny se jette au cou de ma petite louve qui l'enlace. Je sens au fond d'Aziliz, l'amour qu'elle porte à Jenny et cela me fait sourire.

— Et si nous continuons de faire revenir ses souvenirs.

Je pose son sac et glisse ma main dans la sienne afin de monter à l'étage où Andy joue déjà du piano. Aziliz se dirige vers la chambre d'Andy ouverte, il l'invite à entrer et elle caresse le piano du bout des doigts. La nostalgie envahit son cœur, puis la tristesse.

— Andy, pourquoi ça fait si mal ?

Elle revit la séparation que nous avons eue suite à l'arrivée de Juliet. Elle s'installe au côté de mon frère puis joue au rythme de celui-ci, la mélodie est de plus en plus mélancolique, mais les souvenirs reviennent même si j'aurais préféré que cela reste enfoui à tout jamais.

— Je sais que c'est douloureux, Aziliz. Mais, ne t'en fais pas, ça passera.

Andy passe ses bras autour des épaules d'Aziliz et dépose un baiser sur son front alors qu'Aziliz pose sa tête dans le creux de son épaule.

— Je l'aime tellement !

Là, c'est moi qui suis envahi par la douleur, car j'étais loin de la vérité sur la douleur qu'Aziliz a ressentie à ce moment-là. Je ne mérite vraiment pas son amour. Soudain, je sens une main sur mon visage.

— Qu'est-ce qui t'arrive ?

Je n'ai même pas senti, mais des larmes de sang coulent sur mes joues qu'Aziliz essuie avec ses doigts.

— Rien, un souvenir.

— Raconte-moi, cela m'aidera peut-être.

— Te souviens-tu pourquoi tu étais si triste ?

— Vaguement. Je sais que cela a un rapport avec nous.

— Oui, j'ai été déstabilisé et cela m'a mis le doute. Nous nous sommes séparés…

— C'est ça, j'ai ressenti un vide énorme et j'ai partagé ma douleur avec Andy, car après toi, il est celui qui contrôle le mieux mes cris d'angoisses.

— Je ne mérite pas ton amour, je ne mérite pas que tu deviennes ma femme, et du cadeau….

Je me rends compte de ma gaffe un peu trop tard. Aziliz me regarde estomaquer puis regarde la bague qui trône à son doigt. Elle relève son regard sur moi, le repose sur la bague et ouvre la bouche à plusieurs reprises avant de la refermer.

— Ne l'écoute pas, quand tes souvenirs reviendront, tu verras à quel point vous êtes fait l'un pour l'autre, lui dit Andy.

— Ça, c'est sûr ! je n'ai jamais vu ça, vous êtes deux aimants. Si l'un bouge, l'autre bouge, mais vous ne pouvez pas vous repousser, continue Jayden.

Aziliz nous regarde tour à tour, je vois ses yeux devenir rouges, signe qu'elle se laisse dominer par ses émotions, je prends doucement son visage en coupe et pose mes yeux ambrés dans les siens. Cela l'apaise sans que je n'aie prononcé la moindre phrase.

— C'est bien ce que je disais, vous en êtes au point où un regard suffit, poursuit Jayden.

— Vous êtes fusionnel, rajoute Andy.

Je ne détache ni mes mains ni mon regard de celui de ma femme.

— C'est ce qui fera qu'Aziliz retrouvera sa mémoire plus vite.

— Sûrement, nous verrons bien.

Je n'ai pas quitté ma louve du regard et elle non plus, mais soudain, elle pose ses mains sur sa gorge, ses yeux deviennent rouges et ses crocs sortent. C'est comme si elle manquait d'air, mais je sais ce qui se passe et mes frères aussi.

— Qu'est-ce qui m'arrive ?

— Pas le temps, monte !

Je l'attrape sous les cuisses, la hisse sur mon dos alors que ces bras passent autour de mon cou et nous disparaissons dans la forêt le plus rapidement possible.

Chapitre 21

Je suis parti aussi vite que possible avec Aziliz sur mon dos, je sens ses doigts qui s'enfoncent dans ma peau. Une fois arrivée dans un coin des plus reculé, loin des humains, je pose Aziliz sur le sol. Des larmes coulent sur son visage.

— Je me souviens, avant d'être moi aussi une vampire. J'adorais monter sur ton dos et partir en balade avec toi. J'aurais dû mourir il y a quelques mois. 3 vampires sont venus me kidnapper au manoir, j'ai fait une chute où je me suis cassé la jambe et mon os a sectionné l'artère. Je me suis sentie mourir, mais tu m'as mordu pour me sauver la vie. Je suis devenue une louve vampire à cet instant.

— Oui, j'ai longuement hésité, mais j'étais déjà trop amoureux de toi pour te laisser mourir. Je voulais te garder près de moi, dis-je en souriant.

Elle vient vers moi, pose sa main sur ma joue alors que j'embrasse son poignet.

— Je dois chasser, je suis en manque de sang, c'est ça ?

— Oui, tu as moins besoin que nous d'ordinaire de chasser, mais là cela fait assez longtemps donc cela explique le manque.

Soudain, je la vois qui regarde, écoute et piste un animal. J'ai à peine le temps de la suivre. Et quand je la rejoins, elle plante ses crocs dans l'animal et étanche sa soif. Une fois l'animal vidé de son sang, Aziliz relève ses yeux redevenus bleus vers les miens, je m'approche de ses lèvres encore pleines de sang, mais je me retiens de déposer les miennes et essuie le sang avec mon pouce que je porte à ma bouche.

— Ça va mieux ma rose des ténèbres ?

— Beaucoup mieux, merci.

Je n'ai pas le temps de réaliser qu'Aziliz s'est redressée et que son corps épouse le mien.

— Tu ne devrais pas jouer avec le grand méchant loup, petite louve !

Ma voix est suave, le corps d'Aziliz frémit et je fais de mon mieux pour ne pas me jeter sur cette femme que j'aime plus que tout.

— Et que m'arriverait-il, si, je jouais avec le grand méchant loup ?

Sa voix est un murmure tellement sexy, je mords ma lèvre pour réfréner l'excitation qui me gagne.

— Je te ferais payer quand tu auras retrouvé tes souvenirs.

Je pose mon front contre le sien, et lui lance un sourire sensuel.

— Quelle douce promesse ! J'ai très envie de retrouver mes souvenirs alors.

— Tu n'es pas fair-play, ma petite rose. Dire des choses aussi sexy. Allez, rentrons ! Sinon, je ne jure plus de rien.

Elle a un petit sourire alors que son visage se relève vers le mien, et qu'elle vient déposer un baiser à la commissure de mes lèvres. Elle prend délicatement ma main, entrelace nos doigts, puis nous nous mettons à courir en direction du manoir. Son rire résonne dans la forêt, elle lâche ma main et me défi de l'attraper.

— Tu penses vraiment pouvoir m'échapper, petite louve ?

— J'en suis même sur mon éternel !

Elle saute de branche en branche avec une agilité impressionnante, elle est aussi discrète que les loups et ses sens sont encore plus aiguisés que nous vampires, grâce à ses dons de sorcière. Je la suis, essayant d'aller de plus en plus vite, mais elle arrive toujours à garder son avance sur moi. Nous arrivons dans le jardin du manoir, mais je prends un peu plus d'élan et arrive à l'attraper dans mes bras. Nous nous retrouvons au sol en rigolant.

— Je t'ai eu, petite chipie !

— On dirait bien !

Je surplombe son corps avec le mien, une de mes mains vient se poser sur sa joue et l'autre se pose sur sa taille. Je vois dans ses yeux que de nouveaux souvenirs reviennent, alors que son corps se cambre, habituer à mes caresses. Je me redresse puis lui tends ma main pour l'aider à en faire de même et nous rentrons dans le manoir.

— Cela s'est bien passé ? questionne Jayden.

— Oui, les souvenirs de sa chute, et de sa transformation lui sont revenus en chemin.

— Bien, c'est une bonne nouvelle, car…

— Il faut toujours protéger la famille, lance-t-elle.

Mon frère lui sourit avant de déposer un baiser sur son front.

— Tout à fait. Je vois que les souvenirs reviennent vraiment très vite.

Elle le serre dans ses bras et pose son front contre les lèvres de Jayden.

— Oui, merci, Jayden, d'être toujours là.

— De rien, je serais toujours là pour ma sœur.

Il dépose un baiser avant de lui sourire puis quitte la pièce, j'emmène Aziliz vers l'étage puis entre dans son ancienne chambre. Elle sourit en trouvant sa guitare et effleure les cordes, alors que sur son lit trônent des partitions. Elle les prend entre ses mains, elle a un sourire avant de les ranger hors de ma vue. Je m'apprête à quitter sa chambre, mais elle me retient par le bras.

— Reste avec moi, ta présence me rassure.

— Bien sûr.

Nous nous dirigeons vers le lit et elle vient caler sa tête sur mon torse alors que je caresse son dos.

Presque 15 jours se sont écoulés depuis sa sortie de l'hôpital, les jours ne m'ont jamais semblé aussi longs que depuis sa perte de mémoire. Les souvenirs reviennent de plus en plus. Elle a retrouvé tous ceux concernant mes frères, Jenny, et elle se souvient être la fille du loup. Je suis le dernier, même si cela lui revient de plus en plus, je me demande tout de même si elle se souviendra de nous.

— Maximilian ?

— Oui ma rose des ténèbres ?

— À quoi penses-tu ?

— Pas grand-chose, ma petite louve.

Elle me sourit avant de prendre ma main et me fait signe de la suivre. Elle m'emmène vers le jardin puis bifurque vers notre petit coin, nous arrivons dans la clairière avant la dépendance.

— Les morceaux du puzzle prennent forme, même si, c'est plus long que certains.

Elle vient épouser son corps sur le mien, je me laisse envahir par mes sentiments pour elle, laissant ma raison au vestiaire et passe mes bras sur ses hanches afin que l'on soit le plus proche possible. Ses bras passent autour de ma nuque et elle approche ses lèvres des miennes afin que nous échangions un baiser intense. Alors que j'approfondis le baiser en venant cajoler sa langue avec la mienne, Aziliz resserre son étreinte fortement et ses mains descendent le long de mon torse. À bout de souffle, nos lèvres se séparent.

— Oh mon… éternel ! Tu m'as… tellement manqué !

Je relève mes yeux d'ambres vers son visage, pas sûr de comprendre ce qui se passe.

— Je…

Elle ne me laisse pas commencer ma phrase que ses lèvres viennent cajoler les miennes avec avidité. Trop longtemps privé de son amour, je me laisse transporter par son baiser alors que son corps se cambre sous mes caresses.

— Dis-moi que ce n'est pas un rêve ? me demande-t-elle.

— Si c'est le cas, je veux vivre ici éternellement, car j'ai cru mourir chaque jour depuis cet accident.

Elle resserre son étreinte alors que je passe mes mains sous ses cuisses pour la faire glisser jusqu'à mon bassin qu'elle entoure de ses jambes. Son front posé contre le mien, j'ai cru que plus jamais, je ne connaîtrais cette sensation grisante de la sentir contre moi.

— Tu as réussi à me séduire une deuxième fois. Je t'aime, mon Maximilian. Où que l'on soit, nos cœurs battent l'un pour l'autre.

— C'est vrai que nous sommes fusionnels, et ça, rien ni personne ne pourra nous le prendre. Maintenant, nous allons devoir parler de l'accident.

— Je le sais mon amour. Je me souviens d'avoir déposé Jenny chez son amie, j'ai fait un détour par la pharmacie.

Je vois ses joues rougir.

— Pourquoi faire à la pharmacie ?

Je connais déjà la réponse, mais il faut que je l'aiguille sur la piste du bébé. Je vois qu'elle se sent gênée et nerveuse, elle triture ses doigts, elle hésite à m'en parler.

— Bah... en... ce matin-là, quand j'ai vomi, je me suis aperçu... que ma boîte de tampon était encore neuve... alors que j'aurais dû les avoir... je suis donc allée acheter... un test de grossesse.

— Quand je suis arrivé à l'hôpital, les médecins m'ont dit qu'ils faisaient tout pour te sauver, mais qu'ils craignaient pour le bébé. Tu as un petit bout de moi avec beaucoup de toi, qui grandit dans ton ventre.

— Il me semblait que les vampires ne pouvaient pas avoir d'enfant.

— C'est le cas, mais tu n'es pas une vampire comme Juliet par exemple. Dans de rares cas, une humaine et un vampire peuvent avoir un enfant.

Elle m'embrasse avec passion, je resserre mon étreinte et profite de ce contact qui m'a tant manqué.

— Merci mon vampire pour ce merveilleux cadeau.

— C'est moi qui te remercie ma petite louve. Je vais être un mari et un père. Tu me combles d'un bonheur que je n'espérais plus.

— C'est Courtney qui va être aux anges.

— Je les emmerde tous, ma rose des ténèbres ! Je suis prêt à hurler au monde entier mon amour pour toi.

— Tu es fou !

Elle se met à rire avant de m'embrasser avec tendresse, je peux ressentir tout son amour. Nous étions tellement loin de nous douter de l'épreuve qui nous attendait alors que nous venons seulement de nous retrouver.

Chapitre 22

Quelques jours sont passés depuis, nous avons décidé que Jayden serait le mieux placé pour suivre la grossesse d'Aziliz, car elle est déjà à 3 mois alors que cela fait un mois et demi, ce qui alerterait les médecins. Nous avons aussi décidé de nous marier le mois prochain avant que le ventre de ma petite louve ne soit trop visible. Tout s'accélère, mais je ne regrette vraiment rien, je sais qu'elle est la femme de ma vie.

Aujourd'hui, elle passe la journée avec Collins pour aller choisir sa robe. Alors que moi, je suis au manoir avec deux frères complètement surexcités d'organiser notre mariage.

— On ne peut pas faire simple ? En petit comité ? Juste vous, Collins, la meute et Jenny ?

— Certainement pas ! C'est la première fois qu'il y a un mariage chez les Mills. Et puis tu me remercieras, tu verras, me lance Jayden.

— Tu sembles bien calé sur la chose, nous aurais-tu caché quelque chose ?

— Non, enfin… (je le vois sourire) si j'ai étais marié avant d'être vampire.

Avec Andy, nous le regardons stupéfaits par sa révélation.

— Tu es sérieux ? demande Andy.

— Oui, à l'époque j'avais 19 ans. Famille noble et donc alliance entre les familles obligent. Elle s'appelait Gulia, elle était brune avec des yeux lavande et un visage angélique. Depuis que nous étions enfants, nous savions qu'un jour nous serions mari et femme. J'ai vécu les plus belles années de ma vie avec elle, jusqu'à mes 25 ans où j'ai fait la rencontre de Marcus et je ne l'ai plus jamais revue.

— Désolé, nous n'aurions pas…

— Ne t'en fais pas, Max. C'était il y a plus de 300 ans et Aziliz avait déjà ravivé les souvenirs quand elle est arrivée avec sa joie de vivre, Gulia avait la même. C'est pourquoi, je veux que tout soit parfait Maximilian, je veux remercier Aziliz de nous avoir apporté la liberté et sa joie de vivre.

— Je suis d'accord, elle nous a tous apporté quelque chose. Et ce mariage c'est notre cadeau pour lui dire merci, enchérit Andy.

— Vous avez raison comme toujours.

J'éclate d'un rire franc et mes frères aussi. C'est vrai que depuis que la petite louve vit ici avec nous, je n'ai jamais été aussi proche de mes frères. Je n'ai jamais vu Andy aussi joyeux et Jayden est plus détendu, moins rigide.

Aziliz
Sophie est venue avec moi pour m'aider à choisir ma robe de mariée.

— *Tu vas vraiment te marier avec lui ?*

— *S'il te plaît, Sophie. J'ai déjà assez de mon père pour ça.*

— *Oui, mais quand même, tu es sérieuse ?*

Je soupire d'exaspération.

— *Oui, je vais épouser Maximilian ! Que cela vous plaise ou non, je m'en moque ! Maintenant, si tu es là pour râler après la famille Mills, tu peux me laisser et je me débrouillerai seule.*

— *Pardon, Aziliz. J'ai encore du mal.*

— *Écoute, Sophie. Que tu le veuilles ou non, les frères Mills sont ma famille. Sans eux, je serais morte il y a quatre mois dans ma chute.*

— *Et j'avoue que je leur en serais éternellement reconnaissante. Tu apportes de la joie à cette ville.*

Je lui souris puis nous entrons dans la boutique, les robes sont toutes magnifiques. Je suis vraiment heureuse, je vais épouser l'homme que j'aime. Alors que je choisis une robe pour l'essayer, un homme se trouve avec moi dans la cabine. Sa main se pose sur ma bouche afin qu'aucun son ne sorte de celle-ci.

— Bonjour, Aziliz. Marcus nous a tellement parlé de toi. Tu es encore bien plus belle que ce qu'il nous en avait dit. Je vais retirer ma main, mais ne crie pas.

Ses doigts s'enlèvent au fur à mesure de ma bouche alors que mon cœur bat si fort dans ma poitrine.

— Qui êtes-vous ? Qu'est-ce que vous me voulez ?

— Je suis Éros, l'un des 3 vampires qui règnent sur le monde magique. Et ce que je veux, c'est toi ! Alors je vais te donner un choix, ma beauté.

— Ne me touchez pas !

— Mais, c'est qu'elle mordrait ! Bien alors le choix que tu as à faire c'est de venir avec nous et il n'arrive rien au Mills. Soit, tu décides de les prévenir et vous mourez tous.

— Si Marcus vous a parlé de moi, il vous a sûrement...

— Je sais qui tu es, Aziliz Connor ! Tu as deux jours pour me donner ta réponse, alors prends la bonne décision petite hybride. Retrouvons-nous dans la clairière où tu es devenue vampire.

Et il disparaît comme il est venu, me laissant seule avec mon choix d'avenir. Les larmes envahissent mon visage, je suis vraiment maudite et sûrement vouée à ne pas devenir une Mills. Mon cœur me fait souffrir, tellement la douleur est insoutenable. Je prends appui contre le mur et essaie de retrouver mon calme afin de n'affoler personne puis je continue ce pour quoi je suis venue comme si de rien n'était.

Le jour commence à tomber quand Aziliz rentre au manoir, elle vient vers moi et m'embrasse avec passion.

— Tu m'as manqué aussi ma petite femme.

Elle me sourit avant de déposer un baiser à la commissure de mes lèvres. J'aime quand elle fait ça, mon corps frémit et je viens attraper sa lèvre inférieure avec mes dents. Un petit gémissement vient franchir la barrière de ses magnifiques lèvres.

— Aziliz, je veux te montrer ma robe.

— Ça y est, tu as choisi, je te suis.

Jenny glisse sa petite main dans celle d'Aziliz et l'emmène vers le salon où sont mes deux frères.

— Je suis heureuse pour vous, Max, me dit Juliet.

— Merci, Juliet.

Elle me prend dans ses bras puis nous rejoignons les autres.

— J'ai presque fini, Aziliz, lance joyeusement mon frère Andy.

— Super ! Merci, Andy.

Elle l'embrasse sur la joue alors qu'Andy sourit. Il y a longtemps que je n'avais pas vu mon frère avoir un sourire sur le visage.

Nous passons la soirée à peaufiner les détails de la cérémonie qui aura lieu dans le jardin. Aziliz est dans mes bras, ma main posée sur son ventre que je caresse avec douceur. Elle me sourit avant de s'approcher de mon oreille.

— Tu seras un mari et un père formidable.

Elle mordille le lobe de mon oreille avant de venir cajoler mes lèvres des siennes.

— On verra le reste demain, Aziliz doit se reposer.

— Oui et demain nous regarderons comment va ce bébé, dit Jayden en souriant.

— Merci pour tous.

Je la porte dans mes bras et nous arrivons dans notre chambre en un éclair. Je ferme la porte à clé alors que ma petite louve rigole. Elle se jette sur mes lèvres avec avidité et je réponds à son baiser. Je ne sais pas si c'est les hormones ou autres choses, mais Aziliz est très entreprenante ce soir. Elle me pousse sur le lit et vient se positionner à califourchon sur moi. Ses mains s'empressent de venir déboutonner ma chemise.

— Eh bien, ma rose des ténèbres… tu es bien entreprenante.

— J'en ai eu envie… toute la journée… tu es à moi… Maximilian Mills.

— Je savais… que tu étais… une coquine… et c'est toi qui es… à moi Aziliz Mills.

Je sens un sourire gagner ses lèvres quand je dis cela, elle retire ma chemise et vient embrasser chaque parcelle de mon torse. Mon corps frémit et je laisse un râle rauque m'échapper. Mes mains viennent enlever sa robe bustier, je la fais basculer et c'est moi qui viens la surplomber de mon corps alors que le sien se cambre. Je la regarde avec désir, elle est tellement belle. Mes lèvres viennent se poser dans son cou et parcourent son corps pendant qu'elle gémit sous mes baisers. Ses mains viennent enlever les boutons de mon jean et me l'enlèvent avant de venir chercher mes lèvres. Elle me désire autant que je la désire, le sang des loups bout en elle comme un volcan prêt à entrer en éruption. J'enlève la dernière barrière qui nous empêche de ne faire qu'un et je viens me fondre en elle. Son corps se cambre et un soupir de bien-être vient accompagner mes mouvements de bassins.

Aziliz

Nous avons fait l'amour trois fois cette nuit, jamais rassasiés l'un de l'autre. Je prends une douche avec Maximilian, puis nous nous préparons.

— Je vais voir mon père puis on finira les préparatifs avec Jayden et Andy. Je t'aime mon éternel.

— Je t'aime aussi mon amour.

Je l'embrasse alors qu'il entre dans la chambre de Jenny et que moi, je me dirige vers la clairière. Quand j'arrive sur place, Éros est présent.

— Tu as déjà pris ta décision, Aziliz ?

— Oui, prévoyez assez d'hommes, car Maximilian ne sera pas le seul à me poursuivre, les deux autres frères aussi. Et vous les laisserez pour toujours.

— Marché conclu, Aziliz. Tu as fait le bon choix, beauté.

— J'ai fait le choix de protéger ma famille ! Rendez-vous ce soir !

Je pars maintenant voir mon père afin de lui dire aussi en revoir, c'est fou, nous nous sommes retrouvés, mais je n'aurais pas pu profiter de ses retrouvailles avec lui. Il m'attend en bas de son appartement, je souris alors qu'il m'enlace et dépose un baiser sur mon front.

— Je t'invite pour le petit déjeuner.

— Je te préviens, je mange comme une baleine !

Il se met à rire.

— C'est normal, il faut le nourrir ce bébé. Tu es aussi belle que l'était ta mère.

— Merci, papa.

Il m'emmène vers un café non loin et nous prenons un petit déjeuner copieux. J'ai passé une excellente matinée avec mon père, je le serre très fort dans mes bras et je me dirige vers le manoir.

Maximilian m'attend dans la cour et vient me prendre dans ses bras, ses mains se posent sur mon ventre.

— Bonjour, mes amours !

Je l'embrasse puis nous nous dirigeons vers la maison, où tout le monde nous attend dans le salon. Je sais que ce mariage n'aura jamais lieu et cela serre mon cœur encore plus fortement. Nous passons la journée à rire tous ensemble, le soir je monte coucher Jenny et je la serre fortement contre moi.

— Prends soin de tes frères quand je ne suis pas là. Même si, au début, cela était dur entre nous, je t'aime fort, Jenny.

— Moi aussi, et je suis très heureuse que tu fasses partie de notre famille.

Je retiens mes larmes et embrasse la petite fille avant de quitter sa chambre, je n'ai pas encore franchi la porte qu'elle dort déjà. Je profite de ce moment pour déposer les lettres dans chacune des chambres des frères puis je me dirige vers la fenêtre ouverte de la chambre de Maximilian et saute, mais à ce moment-là, mon doux éternel est entré dans sa chambre. J'espérais pouvoir partir discrètement, mais voilà que les trois frères se lancent à ma suite. J'accélère afin de les distancer, mais ils accélèrent aussi afin de réduire la distance. J'arrive enfin dans la clairière, et me stop au centre près d'Éros et quand les trois frères arrivent dans la clairière ils sont de suite immobilisés.

— Aziliz, qu'est-ce qui se passe ? demande stupéfait Maximilian.

Mes larmes coulent sur mon visage.

— Je n'ai pas le choix.

— Nous avons toujours le choix, Aziliz.

— Non, pas ici, Jayden.

Je m'avance vers lui et pose mon front contre ses lèvres puis je le serre contre moi. Je continue vers Andy et essuie les larmes qui ont envahi le coin de ses yeux.

— Je protège la famille.

— Ne fais pas ça, ma louve.

Je me dirige enfin vers cet homme que j'aime tant, mes lèvres cajolent les siennes.

— Je suis désolée, mon doux éternel, mais vos vies sont plus précieuses que la mienne. Je n'étais pas destinée à être une Mills.

Je le serre dans mes bras et l'embrasse une dernière fois avec passion même si, nos larmes coulent.

— Je vous aime tous les 3.

Et je suis Éros dans la forêt, le cœur complètement en miette, alors que Maximilian hurle mon nom…

Remerciements

Je veux remercier ma famille de cœur qui me pousse à vous partager mes histoires. À vous, cher lecteur sans qui je ne serais pas là. À mes enfants qui sont fiers que leur maman écrive des histoires. Mes bêta-lecteurs qui m'ont permis de vous faire vivre une belle aventure.

Un clin d'œil particulier à ma sœur de cœur, qui se reconnaîtra et se retrouvera à travers les personnages principaux. Je t'aime.

Puis un grand merci à ces deux artistes pour leur talent qui m'a permis d'illustrer mon livre et vous donner un aperçu de mes héros.

Imprimé en Allemagne
Achevé d'imprimer en juin 2023
Dépôt légal : juin 2023

Pour

Le Lys Bleu Éditions
40, rue du Louvre
75001 Paris

Milton Keynes UK
Ingram Content Group UK Ltd.
UKHW040728010823
426141UK00004B/263